Machado de Assis: Ficção e Utopia

Do Autor

Obras Escolhidas de Machado de Assis, 9 vols., S. Paulo, Cultrix, 1960-1961. (Organização, introdução geral, cotejo de texto, prefácio e notas)

A Literatura Portuguesa, S. Paulo, Cultrix, 1960; 30ª ed., 1999.

Romantismo-Realismo e Modernismo, vols. II e III da *Presença da Literatura Portuguesa*, S. Paulo, Difusão Européia do Livro, 1961; 2ª ed., vol. III, 1967, vol. V, 1971; 4ª ed., vol. III, 1974.

Camões, Lírica, S. Paulo, Cultrix, 1963; 13ª ed., 1999. (Seleção, prefácio e notas)

A Criação Literária, S. Paulo, Melhoramentos, 1967; 13ª ed., *Poesia*, S. Paulo, Cultrix, 1997; 13ª ed., *Prosa-I*, S. Paulo, Cultrix, 1997; 16ª ed. *Prosa-II*, S. Paulo, Cultrix, 1998; 16ª ed.

Pequeno Dicionário de Literatura Brasileira, S. Paulo, Cultrix, 1967; 6ª ed., 2001. (Co-organização, co-direção e colaboração)

A Literatura Portuguesa Através dos Textos, S. Paulo, Cultrix, 1968; 27ª ed., 2000.

A Literatura Brasileira Através dos Textos, S. Paulo, Cultrix, 1971; 22ª ed., 2000.

A Análise Literária, S. Paulo, Cultrix, 1969; 11ª ed., 1999.

Dicionário de Termos Literários, S. Paulo, Cultrix, 1974; 9ª ed., 1999.

O Conto Português, S. Paulo, Cultrix/EDUSP, 1975; 5ª ed., 1999. (Seleção, introdução e notas)

Literatura: Mundo e Forma, S. Paulo, Cultrix/EDUSP, 1982.

História da Literatura Brasileira, 5 vols., S. Paulo, Cultrix/EDUSP, 1983-1989; 3 vols., S. Paulo, Cultrix, 2001, vol. I — *Das Origens ao Romantismo*, vol. II — *Realismo e Simbolismo*, vol. III — *Modernismo*.

O Guardador de Rebanhos e Outros Poemas, de Fernando Pessoa, S. Paulo, Cultrix/EDUSP, 1988, 5ª ed., 1997. (Seleção e introdução)

Fernando Pessoa: O Espelho e a Esfinge, S. Paulo, Cultrix/EDUSP, 1988; 2ª ed., 1998.

A Literatura Portuguesa em Perspectiva, 4 vols., S. Paulo, Atlas, 1992-1994. (Organização e direção)

As Estéticas Literárias em Portugal, vol. I — *Séculos XIV a XVIII*, Lisboa, Caminho, 1997; vol. II — *Séculos XVIII e XIX*, 2000.

Machado de Assis:
Ficção e Utopia

Massaud Moisés

EDITORA CULTRIX
São Paulo

Copyright © 2001 Massaud Moisés.

Todos os direitos reservados. Nenhuma parte deste livro pode ser reproduzida ou usada de qualquer forma ou por qualquer meio, eletrônico ou mecânico, inclusive fotocópias, gravações ou sistema de armazenamento em banco de dados, sem permissão por escrito, exceto nos casos de trechos curtos citados em resenhas críticas ou artigos de revistas.

O primeiro número à esquerda indica a edição, ou reedição, desta obra. A primeira dezena
à direita indica o ano em que esta edição, ou reedição, foi publicada.

Edição	Ano
1-2-3-4-5-6-7-8-9-10	01-02-03-04-05-06-07

Direitos reservados
EDITORA PENSAMENTO-CULTRIX LTDA.
Rua Dr. Mário Vicente, 368 — 04270-000 — São Paulo, SP
Fone: 272-1399 — Fax: 272-4770
E-mail: pensamento@cultrix.com.br
http://www.pensamento-cultrix.com.br

Impresso em nossas oficinas gráficas.

Sumário

Nota Prévia 7

1. Machado de Assis Hoje 9

2. Machado de Assis e a Estética Realista 21

3. A Ficção Machadiana: Ressurreição e Permanência 35

4. O Romance na Visão de Machado de Assis 41

5. Machado de Assis: Ficção e Utopia 59

6. As Coincidências Significativas na Ficção de Machado de Assis ... 69

7. Capitu: Esfinge e Narciso 77

8. Em Busca dos Olhos Gêmeos de Capitu 87

9. Capitu e Quina: a Esfinge e a Sibila 95

10. Machado de Assis Cronista 109

11. A Ironia e a Sutileza Machadianas no Conto 115

12. Machado de Assis: Um Modo de Ser e de Ver 121

13. "O Alienista": Paródia do *Dom Quixote?* 127

14. Outras Facetas da Obra Machadiana 141

Nota Prévia

Este livro reúne uma série de ensaios que venho dedicando, desde os fins da década de 50, à obra de Machado de Assis. Em 1960-1961, a convite desta mesma Editora, organizei em 9 volumes as suas Obras Escolhidas, abrindo-as com uma introdução geral e prefaciando cada uma delas, além de anotá-las e fazer o cotejo de texto. Outros estudos foram-lhe destinados nos anos subseqüentes, em razão do interesse que sempre me despertou. Ao enfeixá-los todos num volume, introduzi-lhes retoques vários, sem eliminar algumas recorrências, sabidamente naturais, e não raro indispensáveis, em estudos elaborados ao longo de tantos anos e publicados em órgãos e momentos diversos.

I

Machado de Assis Hoje

1. Decorrido quase um século da morte de Machado de Assis, que imagem temos dele em nossos dias? Com toda a evidência, a questão nos parecerá ociosa se não a crivarmos de interrogações. E a não menos relevante consiste em sabermos quem é o sujeito da questão. O chamado leitor comum, que se embriaga com *best-sellers* tão mais descartáveis quanto mais inofensivos? O estudante do curso secundário, obrigado a ler, entre longos bocejos, romances e contos (quando não o seu resumo) que se destinam a prepará-lo tão-somente para o temido exame vestibular? O leitor anônimo, ainda viciado no prazer solitário da leitura que lhe proporcione alimento espiritual? Ou o crítico, técnico em leituras analíticas por dever de ofício, gosto ou formação?

Machado de Assis é daqueles escritores que, como os bons vinhos, somente melhoram com o tempo. Lido na adolescência, ainda que na porção mais relevante do seu legado (a ficção), é um desastre ou, quando pouco, uma monumental decepção: se os seus romances da primeira fase (*A Ressurreição*, 1872; *A Mão e a Luva*, 1874; *Helena*, 1876; *Iaiá Garcia*, 1878) não alcançam interessar os jovens com os seus enredos românticos, eles que consomem com volúpia o seu prato diário de terror, violência e sexo nos vários recursos que a mídia põe à sua disposição, — que se dirá da sua prosa fina e sibilina, que requer maturidade, hábito de reflexão e largo descortino cultural?

De modo genérico, podemos dividir os ficcionistas em duas espécies principais: os que oferecem leituras mais para os sentidos do que para a inteligência, e os que constroem os seus edifícios narrativos mais para o deleite da inteligência do que da sensibilidade. Os pertencentes ao primeiro grupo tendem a montar enredos lineares, enquanto os outros se exercitam na composição de histórias mais requintadas, pela linguagem, pela estrutura e pela análise de pormenores. Eça de Queirós, com todo o fascínio do seu estilo hipnotizante, é bem o exemplo clássico do romancista que mais desencadeia sensações do que reflexões. E Machado de Assis é o protótipo do segundo grupo. Eis por que os seus leitores mais constantes e fiéis se encontram na faixa de idade em que as ilusões começam a desvanecer-se com o surgimento dos primeiros cabelos brancos, e o espetáculo da vida entra a parecer com o que se desenrola nos romances da chamada fase realista da sua ficção (*Memórias Póstumas de Brás Cubas*, 1881; *Quincas Borba*, 1891; *Dom Casmurro*, 1900; *Esaú e Jacó*, 1904; e *Memorial de Aires*, 1908).

2. O retrospecto do quase centenário transcorrido desde o seu falecimento (29/9/1908) mostra-nos que o seu vulto veio crescendo aos poucos, mas firme e serenamente. Claro, conheceu alguns desafetos em vida, ou quem não lhe enxergasse maiores talentos, chegando ora ao desaforo, ora à distorção crítica, fruto de pressupostos teóricos mal digeridos ou passivamente assimilados, não raro em contraste com opiniões eivadas de subjetivismo. Ilustres desconhecidos enfileiram-se no primeiro grupo, como Pires de Almeida, mas também Cruz e Sousa lhe dedicou versos cheios de fel. E Carlos de Laet, com a sua língua ferina, queria atraí-lo para as suas costumeiras polêmicas. Pedro do Couto fez-lhe duras restrições nas suas *Páginas de Crítica* (1906). E passadas breves semanas do seu enterro, Hemetério José dos Santos, decerto levado pelo ressentimento, a inveja ou qualquer outro dos baixos sentimentos que costumam assediar os medíocres e os impotentes, atirou-lhe uma chusma de impropérios, em carta aberta a Fábio Luz, publicada na *Gazeta de Notícias* (16/11/1908) e transcrita, em 1910, no *Almanaque Garnier*.

E Sílvio Romero, aparentemente conduzido pelas diretrizes "científicas" da sua geração, censurou-lhe a obra com argumentos tão pouco consistentes quanto mais subjetivos, motivados pelo afã de erguer um pedestal a Tobias Barreto e à Escola do Recife. Primeiro, no estudo *O Naturalismo em Literatura* (1882), em que ataca não só o escritor como o homem Machado de Assis. Mais adiante, no livro *Machado de Assis. Estudo Comparativo de Literatura* (1897), a sua violência atinge o ápice. Alguns exemplos darão idéia do conjunto: quanto ao estilo de Machado, acha que "sem ter grande originalidade, sem ser notado por um forte cunho pessoal, é a fotografia exata do seu espírito, de sua índole psicológica indecisa". Tanto assim que encampa o dizer de um maledicente contemporâneo, segundo o qual "ele gagueja no estilo, na palavra escrita, como fazem os outros na palavra falada". Não obstante, julga-o "um dos príncipes do estilo entre nós", dando mostras dos contra-sensos em que resvala o seu estudo comparativo. Acredita ser "evidente a macaqueação de Sterne" e convida-o "a ler agora o grande Taine", como se, fazendo-o, a sua literatura então viesse a tornar-se digna da sua admiração. A seu ver, as *Memórias Póstumas de Brás Cubas* não se comparam a *O Primo Basílio*, e por isso pede que se retirem "do livro aquela patacoada dos pequenos capítulos com títulos estapafúrdios e aquelas reticências pretensiosas". Não admira que, volvidos quinze anos, o historiador ver-se-á obrigado a retratar-se em *Minhas Contradições* (1912). Tarde demais. Machado já havia engolido, como se vê, a sua taça de insultos e dissabores: a sua trajetória não foi o mar de rosas que a vida mansa de burocrata exigente e reto, de homem amável, cercado de admiradores e bons amigos, faria imaginar.

Pouco a pouco, no entanto, a sua figura foi ganhando a dimensão que lhe era própria, por direito de conquista. Atravessou o modernismo incendiário sem receber nenhum gesto maior de veneração, mas também sem a carga mortal que os iconoclastas de 22 lançavam contra os escritores do passado próximo ou remoto que não prenunciassem as suas teses revolucionárias. Raros escaparam, como se sabe, da fúria sanguinária com que os bem-humorados participantes da Semana de Arte Moderna punham abaixo as efígies do panteão nacional.

E a literatura intimista, ao princípio, e a ficção regionalista, mais adiante, geraram nomes da estatura de Clarice Lispector e Guimarães Rosa, mas nem uma nem outra corrente em momento algum ofuscaram a obra machadiana. É que o seu brilho não era falso, nem resultado do apego às modas: antes pelo contrário, era intrínseco, sem par, não vinha dos bancos escolares (pois Machado foi um autodidata), nem das rendas polpudas que sustentavam uns poucos afortunados nas suas repetidas viagens à Europa, a estudar ou a "respirar civilização". Nascido no Morro do Livramento, filho de um mulato e de uma lavadeira portuguesa, jamais saiu do Rio de Janeiro: não precisou nunca dos títulos acadêmicos, dos canudos que abriam portas para os bem-aventurados de nascença, nem das estadas culturais para se aprimorar ou posar de homem viajado, lido e civilizado.

Bastaram-lhe os recursos do meio social carioca da segunda metade do século XIX, com as suas francesias, em tudo por tudo buscando equiparar-se às modas e figurinos culturais que chegavam da Europa. E bastaram-lhe, mais ainda, os livros, que lhe saciavam a sede de conhecimento, a percepção aguda do contexto social à sua volta e os dons singulares de uma rica imaginação trabalhada por um equilíbrio de ascendente clássico, que se diria fundado na razão e na sabedoria de vida, invulgar em qualquer literatura. Não era, nem seria, o único, obviamente, que não precisou visitar outras paragens de além-mar para se tornar um prosador fora do comum. Se assim fosse, outros antes e depois dele se lhe nivelariam, ou mesmo o superariam, na exibição daquelas mesmas qualidades. E não é o que acontece. "Uma viagem à roda do quarto" é suficiente para inspirar obras geniais, quando o viajante possui, evidentemente, algo mais do que reminiscências de viagens, a imitação de figuras renomadas, o decalque dos modelos estrangeiros, sugestionado pela idéia provinciana e depressiva de que o alienígena, seja ele quem for, é sempre melhor.

3. Deste mal Machado não padeceu, nem se deixou abater pela origem humílima e as condições adversas. Antes, extraiu dessa mesma condição a força para singrar na vida com método e respeito aos valores de caráter, bem como a essência da sua obra, transformando a adversidade num desafio estimulante, numa corrida de obstáculos em que seria necessariamente vencedor. Surpreende-nos que assim se tenham passado as coisas: quando tudo parecia conspirar contra, eis que projeta ele no horizonte um vulto sem igual, graças a qualidades individuais que fogem a qualquer diagnóstico e a todos os determinismos auto-intitulados científicos, em plena voga no último quartel do século XIX. Sabemos que um seu confrade, também sujeito à condição de mestiço, está longe de ostentar grandeza semelhante, embora não seja um escritor menor. Refiro-me, como se nota, a Lima Barreto. Ambos se opõem nas inúmeras peripécias da vida e da obra. Um, superou as limitações da origem e do ambiente social, é um vitorioso. O outro, não conseguiu neutralizar as trágicas condições que lhe cercaram a vida e a obra.

O que fez que a um e a outro fosse reservado tal destino constitui um problema que não cabe no momento analisar. Importa, isso sim, tentar saber por que a obra de Machado alcançou os níveis que permitem considerá-lo a grande figura da nossa história literária. Se o vulto de um escritor se medisse pelo número de volumes publicados em vida, decerto o lugar do autor de *Dom Casmurro* seria ocupado por um contemporâneo seu, cuja obra literária ultrapassa os 120 volumes: Coelho Neto. Não sendo a quantidade o fator diferencial, será certamente a qualidade. E assim se explica a razão por que a projeção de Raul Pompéia é maior do que a daquele polígrafo maranhense. Mas, em contrapartida, por mais brilhante que seja *O Ateneu*, não ergueria o seu criador ao patamar onde se encontra Machado de Assis. É que, tirante as exceções de praxe, a quantidade e a qualidade andam juntas num escritor que logra renome capaz de resistir à prova do tempo, a ponto de situar-se entre os maiores.

A obra de Machado estendia-se por 31 volumes nas edições Jackson. Se juntarmos os dispersos, reunidos após a sua morte, não será exagero admitir que alcança 40 volumes. Alguns deles são de poesia (*Falenas*, 1870; *Americanas*, 1875; *Poesias Completas*, 1901), outros de teatro (*Queda que as mulheres têm para os tolos*, 1861; *Teatro*, 1863, 1910), de contos (*Histórias da Meia-Noite*, 1873; *Histórias sem Data*, 1884; *Várias Histórias*, 1896; *Páginas Recolhidas*, 1899; *Relíquias de Casa Velha*, 1906; *Outras Relíquias*, 1910; *Novas Relíquias*, 1922; *Casa Velha*, 1944), de crônica (*A Semana*, 1914), de crítica teatral e literária (*Crítica*, 1910; *Crítica Teatral*, 1936; *Crítica Literária*, 1936), e de romances. O consenso, que se foi organizando ao longo dos anos, distingue os contos e os romances como a porção mais respeitável do espólio machadiano. Curiosamente, enfeixam juntos mais de metade da referida edição das obras completas do autor, confirmando desse modo a correlação entre quantidade e qualidade.

Não se deduza, porém, que as demais formas cultivadas por Machado sejam desprezíveis. É certo que o seu teatro se destina mais à leitura do que à representação, por lhe faltar a movimentação que o espetáculo cênico pressupõe, e que o seu lirismo padece de uma contensão que se diria parnasiana, não fosse o equilíbrio ático que lhe serve de suporte e a visão serena das coisas que nele se contém. Mas ainda é verdadeiro que as suas crônicas, tirante o estilo e a vivacidade narrativa, e apesar do seu natural envelhecimento, constituem documentos inestimáveis do dia-a-dia fluminense na segunda metade do século XIX. E a crítica, não sendo o seu modo de ser eletivo e nem a sua atividade principal, exibe as qualidades de um autêntico crítico, raras em qualquer tempo, e das quais tinha nítida consciência, como revela o seu ensaio em torno do "Ideal do Crítico". Basta lembrar que os estudos consagrados a *O Primo Basílio*, à questão da nacionalidade literária ("Instinto de Nacionalidade") e à "Nova Geração" ainda valem como contribuições indispensáveis ao bom encaminhamento dos assuntos em questão.

4. Outra seria, evidentemente, a presença de Machado nos quadros da nossa literatura se apenas houvesse cultivado essas modalidades de ação cultural. Laterais, fruto de uma curiosidade insaciável e de um talento multiforme, como que desenham o cenário onde se projeta o melhor da sua produção, os contos e os romances. Se no exame do total da sua obra, o desnível entre as suas diversas manifestações se impunha como ponto de partida, aqui também a cautela reclama que se distingam as coisas. Teria Machado a mesma ressonância póstuma se houvesse apenas publicado contos, ainda que da mais alta qualidade, como é o caso dos que reuniu em volume? Decerto que a resposta seria negativa, ou ao menos matizada. Por razões que seria entediante discutir aqui, os escritores que se dedicaram com exclusividade à narrativa curta geralmente não conseguem a mesma repercussão dos romancistas. E quando um escritor de pulso se exercita numa e noutra fôrma, é pelo romance que o consideramos digno de aplauso. Veja-se o caso de Flaubert, ou mesmo de Eça de Queirós. Quem se lembraria deles pelos contos que escreveram, ainda que da mais elevada qualificação?

Acontece que Machado não só escreveu romances de superior densidade dramática, como uma série de contos de primeira qualidade. E isso o torna, no panorama das nossas letras, sem par como romancista e como contista. Mestre, a maior figura das nossas letras, ou que outra classificação se achar mais adequada, seja numa modalidade, seja na outra. Por quê?

5. Comecemos por focalizar os contos, notadamente os da chamada fase realista. O que se pede a um conto lembra o que se pede a uma anedota, com as diferenças evidentes, em grau, força, significado e função. Um flagrante do cotidiano, submetido ao exame do microscópio, que nele surpreenda uma relação nova, um fato novo, uma figura nova, ou uma faceta nova da monotonia dos atos corriqueiros, é o que dele se espera. O conto detecta no efêmero da vida de uma pessoa anônima, entrevista no seu ramerrão, o episódio dramático que lhe permite sair da obscuridade, do anonimato, para a repentina celebridade concedida pelo olhar atento do ficcionista. Mas nesse relance, a sua vida ganha uma permanência que não teria doutro modo, na retina e na imaginação do escritor e do leitor, uma espécie de fugaz eternidade, ainda que o momento privilegiado que ele protagoniza possa ser a antevéspera da morte ou do afastamento do convívio humano.

Quem não se recorda, com emoção e estremecimento intelectual, das histórias de "A Cartomante", flagrante de um cotidiano ainda vivo, em que a credulidade leva a um trágico desfecho, e de "O Alienista", fulgurante visão da psicanálise nos seus primórdios e um retrato pessimista da espécie humana? Quem não conhece pela experiência, própria ou alheia, casos que semelham reproduzir "Uma Noite de Almirante" ou "Teoria do Medalhão"? Quem não encontrará algum parentesco entre "Missa do Galo" e algum episódio reprimido nas profundezas da memória? E de "A Igreja do Diabo", "Uns Braços", "Conto de Escola", "Cantiga de Esponsais" e tantos outros?

Nem é preciso que nos lembremos do nome, profissão, idade, etc., dos figurantes, porque não é deles em particular que se trata, mas, sim, de surpreender com a objetiva mais instantânea o momento em que tais seres sem rosto ganham breve lugar ao sol. Representam todos os semelhantes em idênticas circunstâncias, que não lograram o milagre da convocação para dentro de uma narrativa, a fim de viver aquele instante singular.

Para o leitor, aí está o fulcro do seu prazer e do seu interesse, não nas personagens em si, nem no cenário, nem na natureza, embora tudo isso concorra para a magia da surpresa, como uma câmara fotográfica da última geração que captasse, numa fração de minuto, o dinamismo do real nas suas formas mais obscuras e ocultas ao olhar desarmado. Machado de Assis é um mestre em oferecer ao leitor precisamente este relato do cotidiano. Outros produziram, entre nós, narrativas de igual quilate, mas nenhum outro as criou em tal número e tão diversificadas. E cremos não exagerar se disser-mos que a luminosidade irradiada por essas histórias não teme o cotejo com as obras de outros mestres no gênero, como Voltaire, Poe, Maupassant, Tchekov, Katherine Mansfield, para apenas nos cingirmos a uns poucos nomes.

Mas a vista de míope, que era a de Machado, não lhe reduziu o alcance da observação e da fantasia. Antes pelo contrário: a capacidade, que era sua, de ver tudo ao microscópio lhe permitia enxergar com nitidez as sutile-zas de um banal acontecimento diário. E também o impelia a sondar mais pausadamente o mundo doméstico, as artimanhas de um conquistador, a malícia de uma mulher dissimulada, as trocas de interesse, as dúvidas de um viúvo atormentado ou de uma jovem casadoira ante dois gêmeos, a nostal-gia e o amor maduro, enfim o quadro amplo da sociedade contemporânea. Somente o romance lhe poderia oferecer espaço e tempo para construir painéis em vez dos retratos e cenas de uma única célula dramática. E a ele se entregou com não menos afinco, ao mesmo tempo que praticava outras formas de intervenção literária.

6. Quem não se recorda dos romances que ele escreveu? Nove ao todo, entre *Ressurreição* e *Memorial de Aires*, um a cada quatro anos, média que revela o escrúpulo paciente com que os arquitetava. Dirigia-se a um público maduro, que busca nessas longas narrativas algo mais do que entretenimen-to: uma visão mais larga e profunda da realidade; o convívio mais demorado com os seres imaginários que as protagonizam; intrigas que custam a desen-rolar-se, como se o leitor contemplasse vidas inteiras e não apenas um mo-mento privilegiado; o contacto com a geografia, quer a da natureza, quer a das cidades; a fruição do lento escorrer do tempo, como a refletir o fluxo verossímil das horas. Suspeitava, se já não o soubesse de um saber intuitivo, que construía a mais complexa e a mais abrangente estrutura literária que tinha à mão após o ocaso das epopéias, no final do século XVIII. Em suma, o variado e recorrente espetáculo humano ali se exibia em toda a sua mag-nitude. E Machado soube como ninguém, no quadro da ficção brasileira, atender ao apetite dos leitores exigentes.

Ao princípio, cortejou os valores românticos em moda, tendo os olhos em Macedo e Alencar. Mas já se movimentava com grande independência, dando mostras de não obedecer às coordenadas que guiavam os seus antecessores. O registro era outro: embora os três se aproximassem pelos temas, mesmo porque era o Rio de Janeiro do tempo que lhes fornecia a matéria-prima, ou pelo culto do enredo, levados pela convicção de que aí residia o foco de atenção do leitor, a diferença entre eles é notória. É verdade que Macedo e Alencar observavam com olhos atentos a sociedade fluminense, mas é na pena de Machado que o cotidiano burguês ganhou certo realismo. Um realismo que não provém de fotografar a realidade como ela é na aparência, como apregoavam as doutrinas literárias do tempo, senão de surpreender os móbeis psicológicos mais secretos das ações humanas.

Na "Advertência" a *Ressurreição* parece dizê-lo com todas as letras, e com a brevidade lúcida que punha em todos os seus escritos: "Não quis fazer romance de costumes; tentei o esboço de uma situação e o contraste de dois caracteres; com esses simples elementos busquei o interesse do livro". Se os ficcionistas tivessem o hábito de registrar o seu projeto estético numa "arte em prosa", à semelhança dos versejadores que compõem a sua "arte poética", diríamos que nessas breves linhas Machado nos transmite a sua. Ao recusar o romance de costumes, não teria em mente os exemplos colhidos em Macedo e Alencar, evidenciando-nos estar cônscio de se diferençar deles nesse aspecto? E ao dizer que pretendia trabalhar com dois "simples elementos", ou seja, "o esboço de uma situação e o contraste de dois caracteres", não estaria definindo, com cristalina transparência, a sua integridade de caráter e, mais especificamente, a sua maneira de ser romancista?

Aí temos, sem dúvida, as chaves para entender e julgar os romances da chamada primeira fase da sua trajetória de romancista, formada dos quatro primeiros livros no gênero. Mas não só: parecem sugerir-nos que também servem, à maravilha, para os restantes cinco romances, como a mostrar-nos que a distinção entre eles é apenas de grau, manifesta na ascendente depuração dessas mesmas matrizes que presidiram a estréia de Machado no romance em 1872. Um simples cotejo entre *Ressurreição* e os romances da "fase realista" desvelaria não poucas coincidências ou recorrências de forma, de conceito, de personagem, de situação, etc. Evidentemente, não é o momento e o local de retomar esta questão.

Com efeito, ao publicar as *Memórias Póstumas de Brás Cubas* em 1881, no mesmo ano em que *O Mulato*, de Aluísio Azevedo, inaugurava o Naturalismo entre nós, alcançava Machado o seu registro próprio em matéria de "esboço de uma situação e o contraste entre dois caracteres". O enredo interessa-o menos do que a sondagem no psiquismo das personagens e nos desvãos do drama que protagonizam: a sua maneira *sui generis* de ser realista aqui se define, pela ênfase no íntimo das personagens e da situação. Um realismo interior, não somente oposto às formas grosseiras que o realismo naturalista assumia, como também às outras que, não sendo propriamente naturalistas, se desejavam realistas.

É então que vêm à tona algumas das marcas machadianas, como a fina ironia, um misto de amargura e de humor à inglesa, o ceticismo, a melancolia, a desesperança, patente na incomunicabilidade entre as personagens, um certo filosofismo, que promove o romance a máquina de pensar, e não a máquina de sentir, como era hábito entre os nossos românticos, o culto da memória, a prospecção do inconsciente, a ênfase na perda da razão. Em síntese, a sociedade vista como um caleidoscópio, em degenerescência, com a finura dum velho moralista à La Rochefoucauld ou dum filósofo desencantado da Renascença, tudo muito bem resumido nas palavras com que Brás Cubas finaliza a rememoração pós-túmulo da sua existência: "Não tive filhos, não transmiti a nenhuma criatura o legado da nossa miséria".

7. Se *Ressurreição* traz em germe os demais romances, graças aos postulados em que se fundamentou, as *Memórias Póstumas de Brás Cubas* parecem conter os estilemas e as categorias estéticas que, em diferentes combinações, dominarão os outros romances dessa fase de Realismo interior. Tudo culmina com *Memorial de Aires*, uma espécie de canto de esperança na humanidade, esperança naqueles valores que a análise implacável da sociedade coeva evidenciava estarem em decadência: os valores espirituais, que o romance de 1881 e os seguintes (*Quincas Borba, Esaú e Jacó*), em torno de adultérios ou situações dúbias, desconheciam. A prosa machadiana desenvolve, nessa fase, acentos poéticos, quem sabe fruto do contágio da maneira simbolista em voga nos fins do século XIX, se não fosse a natural evolução de um intelecto sedento de perfeição.

Em meio a esses romances, surge em 1899 a obra-prima de Machado e um dos mais densos romances da nossa literatura, se não o mais denso: *Dom Casmurro*. Esquivo a qualquer julgamento crítico que se pretenda definitivo, parece a concretização, no seu mais alto nível, da "arte em prosa" expressa nas palavras à frente de *Ressurreição*: sendo, na verdade, mais do que o "esboço de uma situação", pois é o retábulo acabado de um provável triângulo amoroso, ainda que cercado de enigmas, nele o contraste dos caracteres é não só óbvio como de grande intensidade. Capitu e Bentinho não podem ser mais discrepantes, sobretudo em inteligência, cálculo e dissimulação.

Tudo isso reúne ela em alta dose, acrescentando-lhe certa amoralidade, frieza ou indiferença. Ele, como bem assinala o diminutivo acusador que carrega no seu nome (já de si muito significativo: *Bento Santiago*), é a ingenuidade em pessoa, carola, crédulo, passivo, fraco. Nada os aproximava, tudo os separava, mas ainda assim resolveram casar-se. Por hábito, por circunstâncias, arrastados pela lei do mínimo esforço? Pouco importa: o desencontro conjugal seria inevitável, e a traição de Capitu, uma questão de tempo. A situação podia ser freqüente nos casamentos de há um século, como também nos dias que correm; o desenlace também não espanta o leitor de hoje. Mas não é nada comum a atmosfera em que a crise doméstica se processou, e nem é vulgar a espessura de tragédia grega assumida pela situação irreversível, deixando-nos a sensação de acompanhar uma situação fechada para todo o sempre, e por isso mesmo simbólica da incomunicabilidade e do desconhecimento entre os homens: tais são os ingredientes básicos que tornam *Dom Casmurro* a obra inigualável que é.

Bentinho amava Capitu desde a infância. E Capitu, amava-o desde a infância? Nem tanto. Ou antes, sendo completamente franco: não. Enquanto ele se derrama, seduzido pela vizinha desde as primeiras horas, ela negaceia, brinca com ele, usa-o, manipula-o matreiramente, uma vez que não lhe nutre afeto algum. Faz dele um autêntico boneco de carne e ossos. Aí o contraste flagrante das figuras, aí a semente do futuro trágico: ela, com o maquiavelismo que trouxe do berço (ou do exemplo materno?), o seu narcisismo habilmente disfarçado (ao menos disfarçado para o marido, não para o leitor de olhos abertos), o adultério oculto em explicações que apenas visam a enganar e, por fim, denunciado em gestos falhos que põem a verdade a nu. E ele? *Puer aeternus*.

Até o desfecho assistimos a um extremo contraste de caracteres: Bentinho remói o seu passado, a saudade, a sua dor pela traição sofrida, mas também pela falta de Capitu, mesmo depois que ela se despedira da vida no exílio europeu. Tanto assim que até depois de morta continuava ela a brincar com ele, cujo destino não podia ser outro senão o de ser boneco da menina de Matacavalos. Contraste de caracteres em nível de tragédia clássica, a tragédia do ciúme, do desprezo, da ausência da pessoa amada. Tragédia de míticas ressonâncias transposta para o ambiente carioca, tragédia porque a vida não se passa a limpo, por mais que Bentinho rememore o passado: ele não deixa jamais de ser o menino ingênuo sob a pele de um casmurro de subúrbio, mesmo quando se põe a recordar obsessivamente, como se cumprisse um anátema de Sísifo, a vida que se esvaiu para sempre.

Situação e contraste de caracteres delineados com mão de mestre, a um nível jamais atingido em vernáculo, e sem exagero ao par de congêneres em outras línguas. Machado de Assis, que sofrera em vida a hostilidade dos invejosos e medíocres, deles se vinga discretamente, como era do seu feitio, produzindo a obra da sua maturidade e a mais alta expressão do nosso imaginário. Fechava o círculo aberto em *Ressurreição*, numa coerência que, sendo a sua marca distintiva, é também de um escritor sem paralelo entre nós. Transcorridos 90 e tantos anos da sua morte, alguém negará em sã consciência que ele representa a figura principal das nossas letras?

2

Machado de Assis e a Estética Realista

1. A missão da história e da crítica literária consiste, como se sabe, num trabalho permanente de revisão do passado, com vistas a uma avaliação mais correta da sua herança para as gerações futuras, quando novos instrumentos analíticos e novos métodos de investigação textual vierem a ser postos em circulação, dando origem a novos paradigmas e novos julgamentos, que serão por sua vez reexaminados, e assim por diante. Para o que nos interessa no momento, é significativo o reestudo que se vem processando do nosso patrimônio literário, especialmente da época do Realismo. Não obstante as novas técnicas de pesquisa textual e os novos processos hermenêuticos empregados, ainda há espaço para outras considerações a respeito dessa corrente literária, sobretudo se a procurarmos examinar nas obras em que se concretizou.

Comecemos por lembrar a flutuação terminológica que se tem estabelecido para designar as mais relevantes linhas do pensamento literário do último quartel do século XIX. Ora se tem usado Realismo, ora Naturalismo, ora se fundem as duas palavras numa expressão composta e relativamente pleonástica — Realismo-Naturalismo —, para designar a produção literária que se estende, mais ou menos, entre 1877, com a publicação de *O Coronel Sangrado*, de Inglês de Sousa, e 1908, com a morte de Machado de Assis. Esse titubear de rótulos é, como sabemos, comum também na crítica francesa, de onde veio a maioria dos estudos acerca da matéria. Não sendo nossa intenção neste momento a discussão circunstanciada desse problema, queremos enfocar genericamente tais denominações, visando a lançar alguma luz sobre a obra ficcional de Machado de Assis.

2. Entre aquelas datas, tomadas no seu aspecto provisório e precário, é possível descortinar duas direções principais no campo da prosa de ficção, bem como da "poesia científica" que então se cultivou. De um lado, tem-se o *Realismo exterior*, que propugnava por uma obra de arte que fosse a "fotografia" ou o documentário da realidade concreta. Preferia-se ver as coisas físicas a vislumbrar as coisas mentais ou psicológicas, ver as sombras a enfrentar a luz, ver o fenômeno a buscar a essência. O *real*, em tais circunstâncias, englobava tudo quanto fizesse vibrar os sentidos: *real sensível*, pois. Ao inscrever-se nessa corrente, o romancista propunha-se, acima de tudo, focalizar cenas, situações, personagens no seu aspecto exterior, fundado no pressuposto de que todas as manifestações psicológicas se exteriorizam em gestos, atitudes e reações físicas, ou mesmo na roupagem: a concretude, aquilo que se vê nas personagens ou no contexto social, é o ponto de partida e de chegada. A positividade da observação, guiada por um espírito rigoroso, inflamado de certezas científicas, é que está em causa. A vida psicológica, enquanto manifestação interior, só interessa quando presa às suas expressões exteriores. Por outras palavras: a psicologia é função da fisiologia. De onde ser desnecessário, se não impossível, sondar os aspectos propriamente psicológicos, uma vez que estão indissoluvelmente vinculados às manifestações fisiológicas. E a razão disso estava em que, como ensinava o Positivismo, somente era passível de conhecimento o que fosse objeto de observação e experimentação. A *vida histórica* das personagens chegava a dispensar a análise da *vida psicológica*, porquanto a ciência do tempo a considerava decorrente da outra, ou ainda não desenvolvera suficientes meios para a estudar em separado. Em síntese, o paralelismo psicofisiológico e o experimentalismo justificavam a prevalência da *visão exterior* da realidade sensível.

Quando a preocupação pela análise do homem tomando por base os aspectos fisiológicos se aguçou, a ponto de obrigar o escritor a deter-se em pormenores cada vez mais científicos, como se estivesse num laboratório, elaborando o "romance experimental", conforme a lição de Zola, entrava-se em plena atmosfera naturalista. O Naturalismo estabelece-se, portanto, pelo recrudescimento do apelo à fotografia, tendo em vista ângulos especiais que surpreendam os liames interiores das emoções, dos sentimentos e do comportamento em sociedade. Se antes a visão era mais estética, mais de quem contempla a realidade sem se comover e sem tomar partido, como se apenas tirasse instantâneos fotográficos das chagas sociais, agora o romancista mergulha o olhar na intimidade da matéria humana, diligenciando conhecer com rigor científico como se processam as manifestações psicofisiológicas, notadamente as que carregam sintomas de patologias sociais.

O homem de letras adepto do Realismo estava mais interessado em construir uma obra de arte que servisse, por meio da visão plástica, como base ou expressão de uma ideologia revolucionária ou reformadora. Por seu turno, sem perder de vista o propósito de lutar por uma literatura de combate e de transformação do meio social, o Naturalismo usa, e não raro abusa, das ciências, sobretudo da fisiologia, então a desenvolver-se extraordinariamente com os trabalhos de Cuvier e outros investigadores. A ciência, que sustenta do mesmo modo o *Realismo exterior*, é transportada para dentro da narrativa a fim de cooperar na luta que então se travava contra os males da educação romântica. Mas, além de cooperação, que era comum aos dois "ismos", ia-se às ciências para encontrar apoio e justificativa à visão pessimista resultante de se privilegiarem, na visão da realidade, os aspectos patológicos. Estes, como bem se compreende, arrastavam não raro para o obsceno ou o realismo cru, justificado plenamente no apoio que se pedia às ciências. Os casos normais — se a normalidade for mais do que uma hipótese — não importavam aos escritores filiados a essa tendência. Esqueciam-se de que, ao concentrar-se nas patologias, como se a sociedade não exibisse outras formas de existência, estavam abrindo caminho para se concluir que toda a sociedade era constituída de doentes. E que, portanto, a "normalidade" acabava sendo precisamente a anomalia, não o equilíbrio saudável das funções: com efeito, a exceção tornava-se a regra. Como se sabe, esse engano de perspectiva viria a tornar-se um dos fatores do descrédito da estética naturalista.

Concretizando, partamos do caso francês: Flaubert, em 1856, ao publicar *Madame Bovary*, inicia o Realismo, aqui chamado de *Realismo exterior*. A evolução operada na estética realista, em razão das grandes mudanças introduzidas pelo surgimento e expansão da fotografia, culminou em 1867, quando Zola publicou *Teresa Raquin*, a primeira obra naturalista. O núcleo de ambas, sabemos bem, é o adultério, resultante de uma série de causas, dentre as quais o desajustamento dos valores e dos caracteres. Em Portugal, Eça introduziu o Realismo no romance em 1875, com *O Crime do Padre Amaro*, preparando o terreno para o aparecimento de Abel Botelho, em 1891, com *O Barão de Lavos*, obra francamente naturalista, à Zola.

Entre nós, não é possível estabelecer fronteiras rígidas entre o Realismo e o Naturalismo, porquanto as duas tendências se mesclam desde o princípio, com *O Mulato*, em 1881. Não obstante, poder-se-ia apontar Júlio Ribeiro, com *A Carne* (1888), Inglês de Sousa, com *O Missionário* (1888), e Adolfo Caminha, com o *Bom Crioulo* (1895), como três representantes do figurino literário difundido por Zola, incluindo os exageros cometidos pelo primeiro, ao narrar a tragédia de Lenita, uma pobre histérica. O próprio Aluísio Azevedo, tão sensível ao Naturalismo em *O Homem* (1887) e *O*

Cortiço (1890), no conjunto de sua obra pende entre as vertentes realista e naturalista, sem contar a persistência de traços românticos. Não estava sozinho nesse sincretismo doutrinário: a fusão das duas tendências é característica das nossas letras, como se pode ver na obra de Rodolfo Teófilo, Manuel de Oliveira Paiva, Domingos Olímpio, entre outros.

3. Se é procedente a distinção entre o Realismo exterior e o Naturalismo, já podemos dirigir a atenção para outra face do problema: o *Realismo interior*. À visão do mundo que antes se preocupava com as mazelas sociais, fruto do meio ambiente ou da herança, agora se opunha a que se voltava principalmente para a vida psicológica das personagens, buscando-lhe surpreender os obscuros desvãos. A minúcia exterior apenas tem importância como sinal visível da vida interior: o drama não mais se evidencia unicamente nas dobras das vestimentas, nas mudanças retóricas da fala, nas contrações fisionômicas, nos gestos das mãos, etc.; *o drama está dentro das personagens*. Entre o "real por dentro" e o "real por fora" a que Fernando Pessoa se referia, Machado opta pelo primeiro, como se ainda ouvisse a voz de Schopenhauer: "a intuição não é apenas a fonte do conhecimento, é o próprio conhecimento [...]; é preciso que o olhar do pensador se volte para o interior; pois os fenômenos intelectuais e morais são muito mais importantes que os fenômenos físicos, da mesma forma que o magnetismo animal, por exemplo, é um fenômeno incomparavelmente mais importante que o magnetismo mineral. Os últimos e fundamentais mistérios o homem os carrega na sua intimidade, e esta é o que lhe é imediatamente acessível. É também ali que pode esperar encontrar a chave do enigma do mundo e o fio único que lhe permite captar a essência das coisas", uma vez que, "partindo de *fora*, não se pode chegar à essência das coisas; seja qual for a maneira como a procuremos, não obteremos senão fantasmas e fórmulas; ficaremos parecidos com alguém que fizesse a volta a um castelo para lhe encontrar a entrada e que, não a encontrando, lhe desenhasse a fachada"[1].

Cria-se, assim, o *Realismo interior*, virado para as manifestações psicológicas, sobretudo aquelas que se dissimulam por trás das aparências, nas paragens sombrias da mente. Esse modo de ver a realidade ainda encontraria um reforço em vida de Machado num ensaio de Bergson publicado em 1903, ao propor que se designasse por "intuição a *simpatia* pela qual nos transportamos para o interior de um objeto para coincidir com o que ele tem de único e, conseqüentemente, de inexprimível", idéia que retoma com detalhes noutro texto: "O instinto é simpatia. [...] é para o próprio interior da vida que nos conduz a *intuição*, isto é, o instinto torna-se desinteressado, consciente de si próprio, capaz de refletir acerca do seu objeto e de o alargar indefinidamente"[2]. Machado empregará o vocábulo "análise" para designar o processo semelhante, que constitui o fulcro da sua tendência. No seu conhecido ensaio "Literatura Brasileira — Instinto de Nacionalidade", publicado em *O Novo Mundo* (Nova York, 1873), diz ele, recenseando os romances produzidos no tempo, que "do romance puramente de análise, raríssimo exemplar temos, ou porque a nossa índole não nos chame para si, ou porque seja esta casta de obras ainda incompatível com a nossa adolescência literária", ou seja, "pelo que respeita à análise de paixões e caracteres são muito menos comuns os exemplos que podem satisfazer à crítica; [...] Esta é, na verdade, uma das partes mais difíceis do romance, e ao mesmo tempo das mais superiores"[3]. Com tais palavras, confessava não só o seu ideal de ficção, o romance de análise interior, que acabou concretizando de forma inigualável, sobretudo na segunda fase da sua trajetória, como também o seu ideal de arte.

Coerentemente, referir-se-á muitas vezes, e de forma direta, ao Realismo na sua expressão mais rasa e exterior, notadamente na famosa crítica a *O Primo Basílio* (*O Cruzeiro*, 16 e 30 de abril de 1878). Depois de afirmar que Eça era "um fiel e aspérrimo discípulo do realismo propagado pelo autor do *Assomoir*"[4], explica que se tratava de um "realismo implacável, conseqüente, lógico, levado à puerilidade e à obscuridade" (p. 109), a "reprodução fotográfica e servil das coisas mínimas e ignóbeis" (*idem*), "em que o escuso e o torpe eram tratados com um carinho minucioso e relacionados com uma exação de inventário" (p. 110), de sorte que "a nova poética [...] só chegará à perfeição no dia em que nos disser o número exato dos fios de que se compõe um lenço de cambraia ou um esfregão de cozinha" (*idem*), em suma, um "realismo sem condescendência, (p. 113) [...] intenso e completo" (p. 115), num "tom carregado das tintas" (*idem*), para exprimir "a obscenidade sistemática" (p. 121). Enfim, trata-se de "uma doutrina caduca, embora no verdor dos anos" (p. 122). Além do que, "o Realismo dos Srs. Zola e Eça de Queirós, apesar de tudo, ainda não esgotou todos os aspectos da realidade. Há atos íntimos e ínfimos, vícios ocultos, secreções sociais que não podem ser preteridas nessa exposição de todas as coisas" (pp. 122-123). Estes aspectos recônditos do fato social é que Machado, guiado pelo seu realismo interior, punha à vista com as armas da sua penetrante intuição.

O antinaturalismo de Machado ainda se manifestaria em "A Nova Geração" (1879). Após advertir que a doutrina de Sílvio Romero expressa no prefácio aos *Cantos do Fim do Século* corria o perigo de "cair na poesia científica, e, por dedução, na poesia didática, aliás inventada desde Lucrécio", diz que o Realismo "é a negação mesma do princípio da Arte", "não conhece relações necessárias, nem acessórias, sua estética é o inventário", "a realidade é boa, o Realismo é que não presta para nada", "a Ciência é má vizinha" da poesia, "a verdadeira Ciência não é a que se incrusta para ornato, mas a que se assimila para nutrição"[5]. Como se nota, os reparos de Machado podem pecar pelo tom categórico, mas não por serem impertinentes. Afinal, o tempo viria a dar-lhe inteira razão, ao sepultar as veleidades documentais de Zola e ao conceder todos os créditos aos ficcionistas mais próximos do realismo interior.

Um expediente narrativo comum pode servir-nos de ilustração. No célebre artigo dedicado à crítica de *O Primo Basílio*, Machado aponta com fina agudeza as cartas levianamente escritas por Luísa e deixadas com negligência infantil no cesto de lixo, onde as encontrou Juliana, como a causa determinante da sua desgraça. Tomada pelo pânico, a adúltera tenta em vão recuperar as provas da sua traição em vez de buscar outro meio de solucionar o impasse. Machado sabia bem por que censurava tal falha na arquitetura do romance queirosiano: também lançara mão do expediente em *Ressurreição*, mas procedera de modo diverso.

Às vésperas do casamento, Félix rompe o compromisso, não sem cair em funda prostração, ao lhe chegar às mãos uma carta anônima difamando Lívia. Mergulhado em desespero, recebe a visita de Meneses, e com ele descobre quem era o autor da calúnia. No romance de Eça, a causa é externa, sinal de que o real se aloja nas cartas de Luísa e no dinheiro que lhe permitisse reavê-las. Aqui, o motivo situa-se no modo como o protagonista reage às torpes acusações encobertas pelo anonimato, primeiro desfazendo os laços que o prendiam a Lívia, e depois, arrependido, almejando remediar o mal praticado, em dois momentos psicologicamente verossímeis. Lívia parece disposta a perdoá-lo, mas nega-lhe a reconciliação, não porque o sentimento acabara, senão pelo fato de a complexa personalidade do noivo não lhe oferecer garantia nenhuma. O tempo viria a confirmar-lhe a impressão, e Félix reconheceu-o, chegando mesmo a suspeitar de que, "suprimida a vilania de Luís Batista", autor da carta infamante, "não estava excluída a verossimilhança do fato, e bastava ela para lhe dar razão". O âmago da questão era, pois, a mente confusa do herói, pertencente, diz Machado, a essa "classe de homens pusilânimes e visionários, a quem cabe a reflexão do poeta: 'perdem o bem pelo receio de o buscar'". O poeta era justamente Shakespeare, cujos versos, citados na "Advertência da primeira edição", serviram ao romancista de mote para a narrativa entre uma viúva sagaz e conformada com sua má fortuna e um médico "essencialmente infeliz", que haveria de esquecer "na sepultura o sentimento da confiança e a memória das ilusões"[6].

4. Como se observa, as posições se invertem: no Realismo exterior, o romance e o conto procuravam a *ação* que espelhasse os conflitos íntimos; no outro tipo de realismo, o desenrolar dos acontecimentos pouco interessa ao escritor, atraído que está pela análise do drama em si mesmo. Antes contagiada por uma técnica teatral, evidente no fato de as personagens darem a impressão de representar um papel, a narrativa passa a obedecer a um ritmo lento, marcado por longas pausas analíticas, em que tudo parece acontecer estaticamente, como diria Fernando Pessoa. As personagens mal se conhecem, tendem a esconder a sua verdadeira identidade, envolvidas que estão por uma atmosfera esquiva ao olhar. Ao contrário do naturalista, que pinta a realidade com cores firmes, tão próximas quanto possível do cromatismo natural dos seres e das coisas, o romancista elabora a sua narrativa por meio de sugestões, nunca descrevendo as personagens e os cenários como seus olhos os vêem, mas como a sua imaginação os concebe ou desenvolve a partir dos dados concretos da realidade. Reiteradas vezes a sua pena lança mão das meias-tintas, dos meios-tons, em que a sugestão psicológica vale mais do que a pintura da exterioridade. Contrariamente ao naturalista, que buscaria o seu modelo na fotografia ou na pintura realista mais objetiva, a nova modalidade de romance se aproximaria da pintura impressionista, ou mesmo expressionista.

O resultado é uma narrativa feita de pinceladas insinuativas, capazes de sugerir as turbulências da alma e as paixões avassaladoras da vontade, que utiliza expedientes como o delírio, a visão retrospectiva além-túmulo (*Memórias Póstumas de Brás Cubas*) ou a sondagem na memória (*Memorial de Aires*) — enquadrada no perímetro do Realismo interior. E é dentro dele que se coloca Machado de Assis. Na sua esteira, Raul Pompéia. Quando se apurarem as linhas do Realismo interior, estará o romance brasileiro caminhando para o Simbolismo, de um Graça Aranha, de um Coelho Neto, de um Lima Barreto, para não falar de Gonzaga Duque, Nestor Vítor e outros. Não obstante os resíduos de Realismo exterior que ainda se possam detectar, uma vez que as épocas e as estéticas não são compartimentos estanques, a tendência para conceder primazia à vida psicológica e aos mecanismos para a detectar, de modo especial a introspecção, acentua-se progressivamente, a ponto de evoluir para o romance moderno de feição intimista. A retrospecção (*flash-back*) e o "fluxo da consciência" (*stream of consciousness*) constituem recursos característicos dessa vertente, que mais tarde se alargará pelos domínios do fantástico e do maravilhoso, identificando o chamado *realismo mágico*. A contrapartida moderna dessas manifestações no realismo exterior é representada pelo *realismo socialista*, identificado pelo emprego do materialismo dialético na defesa do proletariado.

Com efeito, iniciada por Machado de Assis e Raul Pompéia, a linha do romance de sondagem psicológica passa por Graça Aranha, cujo *Canaã*

(1902) lembra, a partir do título, o simbolismo do seu conteúdo, que gravita em torno do impacto da realidade brasileira e as suas ressonâncias na alma de dois imigrantes alemães no Espírito Santo, um, impulsionado pelo seu arianismo, o outro, pelo seu ideal de americanismo. Cruza por Coelho Neto, a fazer o retrato desencantado do Rio de Janeiro fim-de-século e a tentar recuperar, pela memória, o tempo perdido por aquela geração de boêmios, fruto de uma época saturada da "alegria de viver". E culmina com Lima Barreto, a fixar num estilo torrencial, apressado, o drama vivido pelo homem de alma poética ao enfrentar a agressiva e injusta realidade urbana. A concretude imanente, os acontecimentos históricos cedem espaço às pulsões de uma ordem que se diria transcendente. A metafísica, escorraçada da arte durante o império do pensamento positivista, parece ressurgir como o lugar do mundo inteligível ou ultra-sensível.

5. Dessa forma, teríamos duas linhas de força na ficção realista da segunda metade do século XIX, uma delas evoluindo para o Naturalismo e a outra para o Simbolismo e, posteriormente, para o romance moderno

Realismo exterior $\longrightarrow$ Naturalismo
Realismo interior $\longrightarrow$ Simbolismo $\longrightarrow$ Romance Moderno

A primeira direção propiciou o aparecimento de ficcionistas talentosos, como Aluísio Azevedo, sem exagero a mais robusta vocação de romancista da época, mas entrou em agonia quando surgiu a reação antipositivista dos fins do século XIX, ou diluiu-se na outra tendência. Esta, menos preocupada com o circunstancial, o fotográfico, esclarece-nos com nitidez o sentido da obra de Machado de Assis, pelo menos tomando por base os romances da segunda fase, e de Raul Pompéia. Além de prepararem o advento de Graça Aranha, Coelho Neto e Lima Barreto, prenunciam algumas características do romance moderno, sobretudo no que este tem de expressão de uma época de crise, assinalada pela desumanização do homem e pela vertiginosa perda de valores, à medida que se acelera o progresso da tecnologia e se acirram as disputas ideológicas que deram origem às duas guerras de âmbito mundial. Nessa linhagem, Lima Barreto desempenhou papel relevante, ao servir de ponte entre o romance realista e a ficção brasileira que se praticou depois da instalação do Modernismo, graças ao descortino de situações e paisagens tipicamente cariocas. Quanto mais não fosse, bastava essa contribuição estética para tornar o Realismo a época mais rica da nossa história literária antes de 1922.

6. Ao situar Machado de Assis na vertente do Realismo interior, podemos compreender melhor por que a sua obra de romancista e contista, erigida com a serenidade e a intuição de um projeto literário de longo alcance, logrou a densidade e a relevância que hoje todos lhe reconhecemos, inclusive no estrangeiro. Com efeito, embora tivesse os olhos assestados na realidade do seu tempo, Machado de Assis apenas aceitou das estéticas romântica e realista o que traziam de novo como visão certeira e profunda dos conflitos da alma e da sensibilidade. Soube ser romântico quando o Romantismo esteve em moda, assim como transitou para o Realismo, mas num caso e noutro agiu com singular liberdade criadora, imprimindo às suas obras características únicas.

A sua visão da realidade não se confinava rigidamente em nenhuma das soluções aparecidas até a época, razão por que as suas personagens, especialmente as dos romances e contos da segunda fase, não são tipos mas *símbolos literários*. Basta comparar o Conselheiro Acácio, Luísa, o primo Basílio, o Padre Amaro, Amélia, Carlos da Maia, de Eça de Queirós, com Brás Cubas, Rubião, Capitu, Bentinho, Valéria, Sofia, José Dias, Fidélia, para só citar alguns. Os primeiros, embora resultantes da observação, parecem obedecer a modelos intelectuais anteriores à elaboração da obra; daí serem estereotipados na sua aparência física bem como nos valores morais. Linearmente coerentes, movem-se como títeres nas mãos do seu criador (de resto, o próprio Machado o denunciara ao criticar os primeiros romances queirosianos), ou personagens de teatro. Eleitas como protagonistas e ilustração de teses científicas, postas a correr por Taine, Zola e outros, reagem segundo as expectativas preconcebidas pelo ficcionista, sem liberdade de escolher o seu destino. Numa palavra, submetem-se a rígidos pressupostos científicos.

Quanto às outras personagens, é certo que são coerentes, mas também é verdade que o são de *dentro para fora* e não de *fora para dentro*, como as primeiras. Realmente, Capitu não provoca interrogação ou surpresa no leitor que ler atentamente *Dom Casmurro*, e perceber que a mulher infiel das últimas horas já estava dentro da menina brejeira, narcisista, astuciosa, a olhar-se maliciosamente ao espelho e a prometer/recusar carinhos precoces ao pobre Bentinho. Neste caso, porém, a coerência se estabelece não pela constância à crítica das fórmulas de comportamento psicológico, como em Eça de Queirós, mas pelas coordenadas que orientam as variadas atitudes gerais da personagem. Existe sempre uma *unidade interior* a presidir as mudanças exteriores, e é no seu encalço que está Machado de Assis.

É que as alterações de comportamento permitem ao romancista ir mais fundo na análise dos dramas comuns e encontrar neles regiões imprevistas, fora do alcance das estéticas anteriores, preocupadas com as manifestações de ordem sentimental ou racional (Romantismo, Classicismo), ao mesmo tempo que menosprezavam o cotidiano objetivo, julgando-o menos sugestivo como motivo de arte. Procuravam, por conseguinte, o que fugia ao comum das gentes, como se a estas faltassem os dramas capazes de suscitar o interesse da arte. Em suma, tratava-se de uma visão aristocrática do labor artístico, que por certo não desapareceu totalmente na vigência da estética realista, mas já começava a ser substituída pelos temas inspirados na vida cotidiana.

Luísa e Capitu, embora distanciadas no espaço e por outros fatores de ordem circunstancial, irmanam-se na mesma propensão ao adultério. Identificadas pelo delito comum, opõem-se diametralmente, no entanto, como personalidade. A divergência entre ambas resulta de Machado não fazer literatura de combate, sobretudo de combate à família, como Eça de Queirós, mas, sim, localizar as razões secretas, latentes no avesso das aparências ou dos axiomas propagados pelas ciências, da infidelidade conjugal. Ao contrário do autor de *O Primo Basílio*, não lhe importavam os casos triviais de adultério, senão aqueles que denotam uma situação dramática mais complexa, vizinha da tragédia. Sem se preocupar com os problemas de classe social, Machado projeta as personagens numa esfera que se diria shakespeariana: nas suas mãos, o adultério é um mistério, o resultado de forças anímicas profundas, e não simplesmente uma ofensa à moral conjugal, fruto do capricho ou da sensualidade exacerbada. Daí a relativa presença, em suas obras, da cidade em que nasceu e de que jamais saiu; daí o caráter relativamente pouco localista das situações nos romances e contos, pelo menos os da melhor fase da sua carreira literária. É apenas por acaso que as personagens habitam uma cidade brasileira e são brasileiras: bastava mudar-lhes a contingência histórica e geográfica para fazê-las tão universais quanto as grandes figuras literárias da Europa. Eis por que são mais símbolos de dramas, coletivos ou individuais, do que expressões típicas de certo meio cultural e temporal.

7. Na linha desse raciocínio, lembremos o conhecido "Velho Diálogo entre Adão e Eva", de *Memórias Póstumas de Brás Cubas*, todo um capítulo (LV), de uma página, feito apenas de sinais de pontuação. Seria motivo de surpresa que um escritor impregnado de Realismo à Flaubert, ou de Naturalismo à Zola, deixasse escorrer da pena alguma nota vaga ou menos precisa no desenrolar do romance. Como estamos em face de uma tendência paralela, mas avançada, de arte, o Realismo interior, compreende-se a razão pela qual Machado de Assis empregou tal expediente, sem contar que o diálogo entre os primeiros habitantes do Éden, ou antes, de Brás Cubas e Virgília, somente poderia ser travado numa linguagem de gestos, desprovida de palavras, uma linguagem simbólica, anterior à criação da lógica. Acresça-se que se trataria, natural e exclusivamente, de um diálogo amoroso, no sentido mais primitivo dos termos, e pressupondo a inocência que a mordida na maçã, ao iniciar os enamorados nos segredos do conhecimento, viria a destruir.

O caráter simbólico das personagens, denunciado na escolha intencional dos nomes (Capitu fez Bentinho *capitular*; Bentinho é o próprio beato, ingênuo; Sofia, a sabedoria; Fidélia, a fidelidade em crise; Carolina é a carola; Dr. Simão Bacamarte é o nome portentoso, com reverberações bélicas, de um médico alienista que se descobre o único doente mental em Itaguaí), também se revela noutras circunstâncias, ao longo dos romances e contos machadianos. Nas *Memórias Póstumas de Brás Cubas*, além do individualismo um pouco à Eça, pelo menos o Eça ortodoxamente realista e incendiário, que se traduz no título e no caráter memorialístico da obra, podemos destacar a famosa cena do "Delírio" (capítulo VII), repleta de intenções e de múltiplos sentidos, em que a realidade fantástica se confunde com a viva, a ponto de parecer tão legítima quanto a outra. Aliás, Machado parece dizer-nos, como sempre, que um mistério subjaz aos gestos em sociedade e no interior das pessoas, movidos não raro pela fantasia e pelo irracional. O delírio, arrancando a personagem inteiramente da realidade concreta, assinalaria a sua culminância, ao revelar, por meio da linguagem onírica levada a extremo, a complexidade do ser humano.

O irracional atinge às vezes o absurdo ou o inverossímil, como a teoria do emplasto, "um emplasto anti-hipocondríaco, destinado a aliviar a nossa melancólica Humanidade", e o Humanitismo, "sistema de filosofia destinado a arruinar todos os demais sistemas [...] ligava-se ao Bramanismo [...] Nesta igreja nova não há aventuras fáceis, nem quedas, nem tristezas, nem alegrias pueris. O amor, por exemplo, é um sacerdócio, a reprodução um ritual. Como a vida é o maior benefício do universo, e não há mendigo que não prefira a miséria à morte (o que é um delicioso influxo de Humanitas), segue-se que a transmissão da vida, longe de ser uma ocasião de galanteio, é a hora suprema da missa espiritual. Porquanto, verdadeiramente há só uma desgraça: é não nascer. [...] Daí vem que a inveja é uma virtude. [...] A dor, segundo o Humanitismo, é uma pura ilusão"[7], em que é patente a sátira contra o Positivismo. E Quincas Borba, já envolto pelas trevas da demência, ainda acrescentaria uma afirmação categórica, para não deixar dúvidas quanto à filosofia subjacente ao seu pensamento: "Crê-me, o Humanitismo é o remate das cousas; e eu, que o formulei, sou o maior homem do mundo"[8]. Mais exemplos podem ser colhidos em outras falas suas ou no cão a quem ele atribui o seu nome, e o romancista confere alma humana, transferida do amo precocemente falecido, seja para mostrar como o que não se sabe é mais denso e mais vasto do que o que se sabe, seja para ironizar a empáfia e as ambições incomensuráveis do gênero humano, inclusive, ou especialmente, quando revestidas de solenidade filosófica.

Demasiado longe nos conduziria a análise, rápida que fosse, dessas manifestações de absurdo. Fiquemos em que, da perspectiva retórica, acabam por se transformar em alegorias, não raro semelhantes às que Voltaire concebeu, como Eugênio Gomes assinalou com pertinência num estudo comparativo incluído em *Prata de Casa* (1953). A alegoria, consistindo na concretização de uma idéia, encerra o mecanismo que aciona e fundamenta o realismo interior de Machado: a realidade é uma idéia que se torna visível ao ganhar corpo numa forma, a alegoria. O mito da caverna, que Platão imaginou para representar o modo como a realidade se nos aparece, logo nos acode à lembrança. A essa luz, o realismo interior acusaria a persistência do ideário platônico, enquanto o realismo exterior filiar-se-ia à tradição aristotélica, em razão de o primeiro acreditar que a realidade autêntica é representada pelas pulsões interiores, que a Psicanálise já vinha desvendando nos fins do século XIX, enquanto a outra postula que a realidade é constituída pelos objetos do mundo físico, captados pela sensibilidade.

8. Eis por que Machado surpreendeu realidades interiores marcadas pelo sinal de ambigüidade, até então desconhecidas entre nós, ao mesmo tempo que descobriu ou desenvolveu os recursos técnicos correspondentes. Umas e outros conferem-lhe o papel de precursor do romance moderno, mais especificamente daquele encarnado pela "busca do tempo perdido" de Proust: pré-proustiano, Machado inaugura, entre nós, a sondagem nos estratos profundos do psiquismo, orientado pelas lembranças do passado e pelo amadurecimento reflexivo da observação até esta se converter, com o tempo, em matéria da memória. Penetrando com a sua lucidez e paciência de ourives no mundo psicológico, até chegar às camadas inconscientes, Machado revelava zonas obscuras, ou pouco visitadas, da alma humana, acabando por nos mostrar que são inerentes ao ser humano em geral. O seu pré-proustianismo manifesta-se, em suma, no fato de discernir a fundamental incoerência psicológica do homem, à beira da loucura pelas suas contradições ou pela sua incapacidade de transformar numa unidade os seus apetites, valores e inclinações. As suas personagens costumam deixar perplexos os leitores com atitudes incoerentes, absurdas, porque "disponíveis" para agir de conformidade com circunstâncias desencontradas, ou mesmo, antagônicas.

A substituição do plano físico exterior pela sondagem interior expressa-se ainda na rapidez com que se narram as cenas e se descrevem as personagens. No geral, duas ou três pinceladas são suficientes para pintar um retrato, como, por exemplo, o caso célebre de Capitu, dona de "olhos de cigana oblíqua", "olhos de ressaca", e o discreto cerrar de cortinas sobre a tarde do adultério. Só mais adiante, com certeza repetido o delito, é que se vem a saber, sempre por vias indiretas, o que então sucedeu. O processo suspensivo, insinuativo, evocativo, dos entretons, das meias-tintas, — porque somente uma visão simplista da realidade e da arte pode admitir que se possa narrar um acontecimento com toda a veracidade desejada — é outra característica do Realismo interior. E dele Machado de Assis faz uso constante: reticente a mais não ser, compraz-se em sugerir, em induzir a aceitação dos fatos, sem os narrar nem mesmo sumariamente. Limita-se a fazer sugestões; bastam-lhe os indícios, porque é mais realista, mais sensato, admiti-los do que forçar as coisas.

De onde as reticências, usadas com argúcia e senso de oportunidade, dizerem mais que a narração minuciosa dos preparativos da cena. É forçoso que o processo obriga Machado a imprimir às suas obras um movimento *andante*, dando a impressão de que *nada acontece, tudo se insinua*. Dotado de uma serenidade *zen*, o narrador revela-se um analista da alma humana que não tem pressa. Nas suas mãos, o ritmo apressado ou nervoso dos romances à Zola cede a um silêncio estático de aquário. A culminância desse realismo interior em Machado de Assis processa-se na última obra, *Memorial de Aires* (1908), cuja atmosfera não esconde a semelhança com a ficção simbolista, para a qual evoluíra espontaneamente, pelo apuramento das suas características mais destacadas. E cujo final deixa passar um raio de esperança depois de uma trajetória de ceticismo emblematizado pelas derradeiras palavras das *Memórias Póstumas de Brás Cubas*: "Não tive filhos, não transmiti a nenhuma criatura o legado da nossa miséria".

Mas tanto num quanto noutro momento, é sempre a técnica de sondagem na intimidade das personagens que domina a cena: em *Memorial de Aires* a ação mais intensa transcorre no interior dos figurantes, que vivem da memória do passado, imersas nas inquietações do seu modo particular de ser. O símbolo que carregam, em vez de estar abalado pela descrença, é um sinal de esperança. Ocupando o espaço do ceticismo, a visão estóica do mundo constitui a tônica do fim da carreira literária de Machado de Assis, ao mesmo tempo que lhe confirma a inserção num tipo de realismo atento à interioridade, no qual já se podiam entrever prenúncios claros do romance moderno, nomeadamente o intimista ou introspectivo.

Notas

1. Schopenhauer, *Le Monde comme volonté et comme représentation*, trad. de A. Burdeau, Paris, PUF, 1966, pp. 754, 874, 140.
2. Henri Bergson, "Introdução à Metafísica", in *Cartas, Conferências e Outros Escritos*, trad. de Franklin Leopoldo e Silva, S. Paulo, Abril, 1974, p. 20; *L'Évolution Créatrice*, Genève, Ed. Albert Skira, 1945, pp. 184, 185.
3. Machado de Assis, *Crônicas, Crítica, Poesia, Teatro*, S. Paulo, Cultrix, 1961, p. 99.
4. *Idem, ibidem*, p. 108. As outras referências estão indicadas no texto.
5. *Idem, ibidem*, pp. 129, 130, 151, 156, 157, 165.
6. *Idem, Ressurreição — A Mão e a Luva*, S. Paulo, Cultrix, 1969, p. 165.
7. *Idem, Memórias Póstumas de Brás Cubas*, S. Paulo, Cultrix, 1960, pp. 179, 180, 181.
8. *Idem, Quincas Borba*, S. Paulo, Cultrix, 1960, p. 23.

3

A Ficção Machadiana: Ressurreição e Permanência

1. Como se sabe, as obras de um escritor tendem, por mais divergentes que sejam, a identificar-se pelos mesmos denominadores comuns. Um ar de família, dir-se-ia, aproxima-as, tornando-as semelhantes nos seus fundamentos, apesar das variações possíveis. Fruto de uma visão de mundo pessoal, inconfundível, são acionadas pelas mesmas forças motrizes, como se pode observar pelo seu exame na ordem cronológica de publicação ou também das espécies, das estruturas e dos temas cultivados. De onde a impressão de unidade ou de continuidade que oferecem ao crítico e ao leitor.

Machado de Assis não fugiu à regra, como evidencia uma análise de *Ressurreição*, o seu romance de estréia. Publicado em 1872, iniciaria a fase romântica da sua carreira, integrada ainda por outras narrativas no gênero: *A Mão e a Luva* (1874), *Helena* (1876) e *Iaiá Garcia* (1878). A fase seguinte seria preenchida pelos romances realistas (*Memórias Póstumas de Brás Cubas*, 1881; *Quincas Borba*, 1891; *Dom Casmurro*, 1899; *Esaú e Jacó*, 1904; *Memorial de Aires*, 1908). Ainda que o designativo das fases possa sugerir que apresentam características identificadoras, em razão da doutrina estética perfilhada, não há separação fundamental entre elas. As diferenças são, no geral, de gradação, de ênfase ou de perspectiva: nem os primeiros romances se explicam apenas pela estética romântica, nem os demais se enquadram ortodoxamente no Realismo dum Balzac, dum Flaubert, dum Zola e dum Eça. Neles há, em verdade, incidências de uma e de outra moda literária. Mas o bom entendimento desses romances ganha se levarmos em conta que o talento machadiano alcançou repelir as aderências constrangedoras das duas estéticas, criando desse modo uma obra de arte acima das contingências histórico-literárias. Compreendido tal ponto, torna-se claro que a unidade da obra de Machado de Assis decorre dos imponderáveis que lhe enformam a personalidade de homem e de escritor, bem como da livre utilização dos princípios que regiam as correntes em voga no tempo.

Daí que os quatro romances iniciais já deixem à mostra algumas das constantes ideológicas que lhe norteiam a cosmovisão. A moda vigente reclamava a narrativa burguesa, açucarada e melodramática. Machado não poderia, obviamente, furtar-se de todo ao contexto social em que lhe era dado viver e compor as suas obras. Tanto assim que, até o fim da vida, teve de ceder às leitoras de revistas mundanas, quer porque esse era o figurino aceito, quer por motivos mais corriqueiros, ligados à sobrevivência. Mas basta um cotejo, superficial que seja, entre a sua escrita e a dos outros prosadores mais afeiçoados ao padrão romântico para nos dar uma idéia da independência que já manifestava nas obras de juventude. E com a maturidade, pôde desenvolver sabiamente as virtualidades patentes nos romances da fase marcada pela inflexão romântica, inclusive, se não mais ainda, no primeiro deles, *Ressurreição*.

2. Publicado nove anos antes que *O Mulato* (1881), de Aluísio Azevedo, instaurasse o movimento realista entre nós, o romance de estréia contém sinais expressivos da maneira singular como Machado via a realidade do seu tempo e como arquitetava a sua ficção para a representar. Nele se revelam as tendências que fizeram do menino do Morro do Livramento o grande escritor que veio a ser com as obras da maioridade. Comecemos pela "Advertência da primeira edição", onde se diria estampar-se uma espécie de programa estético ou, ao menos, uma teoria do romance. Lúcido como poucos no seu tempo, Machado não esconde ter consciência plena do tipo de narrativa que apresentava aos leitores e da originalidade que nela instilava. O ponto de partida é "dizer à boa e sisuda crítica, que este prólogo não se parece com [os] prólogos [...] que trazem os olhos no pó da humildade, e o coração nos pincaros da sua ambição".

E a razão disso, adianta ele, está em que vinha apresentar à crítica "um ensaio em gênero novo para [ele]". Onde se encontraria tal novidade? Machado diz que está em pedir à crítica "intenção benévola, mas expressão franca e justa". Precisamente o que, diga-se de passagem, ele próprio realizaria nos seus textos críticos, alguns dos quais ainda hoje válidos pela sua intuição certeira e o exemplar senso de medida. Em suma, dispensava os aplausos que não se fundamentassem no mérito, pois "quem tem vontade de aprender e quer fazer alguma coisa, prefere a lição que melhora ao ruído que lisonjeia".

Não podia ser mais franco e cristalino: falando de si próprio no diálogo com a crítica, falava verdadeiramente em nome de todos os escritores, sobretudo daqueles que, arrastados pela vaidade, compõem obras inferiores para agradar os leitores ou os críticos. Ofertava, ao mesmo tempo, a chave para a correta interpretação, não só da sua obra, como também da literatura que se produzia na segunda metade do século XIX, dentro e fora do país. Note-se que Machado ia na casa dos 30 anos, já aprendera que o tempo é o "bom mestre" que ensina "a reflexão, [...] a condição do estudo, sem o qual o espírito fica em perpétua infância". De onde, como a servir de corolário ao amadurecimento que se anuncia nessas observações de severa análise, "quanto mais versamos os modelos, penetramos as leis do gosto e da arte, compreendemos a extensão da responsabilidade, tanto mais se nos acanham as mãos e o espírito, posto que isso mesmo nos esperte a ambição, não já presunçosa, senão refletida". Machado dava mostras de possuir aguda consciência, ética e estética, do que era a sua (e a alheia) missão literária. Creio não haver perigo de cair na apologia gratuita, se afirmar que raros são os escritores que levaram a tal ponto a reflexão em torno dos segredos e dos deveres impostos pelo seu ofício, e tentaram segui-los fielmente.

O fecho do seu raciocínio, ou profissão de fé, é dado por uma confidência, misto de compromisso e antevisão do futuro: "Eu cheguei já a esse tempo". E por isso, o seu romance de estréia já se distinguia de tudo quanto se publicara até então em matéria literária, embora lhe devesse, como bem reconhece, ensinamentos úteis no terreno do modelo e das "leis do gosto e da arte". Armado desse "saber de experiências feito", como dizia o poeta, era fácil a Machado enunciar a pretensão que o movia ao escrever *Ressurreição*:

"Não quis fazer romance de costumes; tentei o esboço de uma situação e o contraste de dois caracteres; com esses simples elementos busquei o interesse do livro."

O romancista raciocina e escreve com nitidez, de forma que a assertiva não necessita de comentário, sobretudo quando se sabe do destino que tiveram, à época, os tipos de romance referidos: o *de costumes* e o *de caracteres*. Basta olhar para trás, e ver o Romantismo com o seu romance urbano centrado no amor adolescente, no dinheiro, na honra e na lágrima. E para a contemporaneidade, e ver o Realismo ou o Naturalismo, com as narrativas ao redor do matrimônio corroído pelo adultério, fruto de sentidos açulados pela ausência de traves morais. Sabe-se como, num caso e noutro, a atenção do narrador incide sobre os costumes, o pano de fundo social e, psicologicamente, as personagens são pobres ou indiferenciadas, já pelo fisiologismo realista, já pelo sentimentalismo romântico. Machado de Assis começa por se definir numa posição original para a época, ao optar pelo estudo de caracteres. Estes, nas suas mãos, serão tratados com a sobriedade e a justeza de linguagem próprias dum talento em ascensão, de modo a apresentar-nos o seu retrato interior e não meramente exterior, como era de uso no Romantismo, pela redução do mundo e do ser humano a uma equação rasamente emocional, e no Realismo, pela estereotipia de base positivista.

3. Aí reside a primeira das novidades que fariam de Machado o superior ficcionista que acabou sendo: entre fazer romances de costumes, aderindo aos moldes predominantes no seu tempo, e romances de caracteres, não hesitou, desde a narrativa inaugural, em escolher a segunda alternativa. Tanto assim que, em *A Mão e a Luva*, vindo a público dois anos depois, voltaria a declarar-se favorável, com palavras ainda mais enfáticas, ao romance de caracteres: "o desenho de tais caracteres — o de Guiomar, sobretudo, — foi o meu objeto principal, senão exclusivo, servindo-me a ação apenas de tela em que lancei os contornos dos perfis"[1]. No caso de *Ressurreição*, dois caracteres, selecionados por sua condição nada vulgar, constituem os protagonistas: o médico Félix, com 36 anos, e Lívia, uma jovem viúva de 24 anos. O romancista desenha o retrato do herói com palavras que, embora falhem por nos antecipar detalhes que teria sido melhor deixar que a ação os revelasse, mostram uma percepção caracterológica que os nossos românticos geralmente desconheciam:

"Não direi que fosse bonito, na significação mais ampla da palavra; mas tinha as feições corretas, a presença simpática, e reunia à graça natural a apurada elegância com que vestia. A cor do rosto era um tanto pálida, a pele lisa e fina. A fisionomia era plácida e indiferente, mal-alumiada por um olhar de ordinário frio, e não poucas vezes morto."[2]

Note-se que ao pormenor da aparência física e da vestimenta se acrescenta a observação do olhar, uma das características marcantes da ficção machadiana. A isso se juntam as situações conflitivas, não por causa da intriga, apanágio do romance romântico, mas do caráter das personagens, jogadas no geral por forças contrárias, fruto do embate entre a razão e o sentimento. Numa palavra, são caracteres complexos, mais próximos das personagens redondas do que das planas, segundo a conhecida tipologia de E. M . Forster. O próprio Machado, num descuido técnico nada freqüente na sua obra, explicável pela influência dos modismos romanescos do Romantismo, o diz de modo incisivo, mas sem lançar dúvida sobre a sua capacidade de observar o mundo social contemporâneo:

"Não se trata aqui de um caráter inteiriço, nem de um espírito lógico e igual a si mesmo; trata-se de um homem complexo, incoerente e caprichoso, em quem se reuniam opostos elementos, qualidades exclusivas e defeitos inconciliáveis." (p. 34)

A Ficção Machadiana: Ressurreição e Permanência **39**

Conquanto o romancista nos decifre a personagem antes que as ações a descortinem, trata-se de penetrante compreensão de Félix, o herói inseguro de *Ressurreição*. O desenrolar dos acontecimentos não desmente o retrato; antes pelo contrário. E toda a conturbada vida amorosa de Félix e de Lívia flui para o sombrio desenlace em conseqüência da personalidade contraditória do protagonista. Mais de uma vez o romancista coloca-o em situações que exigem resposta pronta e coerente, mas o resultado é o angustiante conflito interior, típico de caracteres polivalentes. Cético, descrente da "sinceridade dos outros", farto "das decepções funestas" (pp. 97, 98), o médico se deixou invadir por "uma cruel misantropia, a princípio irritada e violenta, depois melancólica e resignada", até sentir que a alma se lhe havia calejado "e o [seu] coração literalmente morreu" (*idem*). Ainda que se possa divisar nesse desabafo, por sinal feito à viúva, certa pose teatral de um filho do século, é notório que estamos longe dos tipos psicologicamente lineares da ficção romântica. Aliás, a idade do médico já o dizia.

Lívia, não menos complexa, embora estável nos seus propósitos e nas suas reações, vive, graças ao perfil mental de Félix, duros momentos de luta e de incerteza. Desconsolada pela "facilidade de dissimulação" e pela "indiferença vigilante" de Félix, entrou "a soletrar-lhe no rosto os terrores e as tempestades do coração" (pp. 80, 82). E o resultado era sempre o mesmo: "Uma hora de inalterável felicidade era comprada à custa de muitas horas de tédio, às vezes de lágrimas" (*idem*). Nela, e mais ainda no médico, são as lutas íntimas que contam, não as circunstâncias exteriores, como era vezo no romance romântico até então, nucleado em torno do enredo. Viúva (outra marca da ficção machadiana, e do Realismo), moça, disposta a recompor a vida afetiva com Félix, adiciona à complexidade dos sentimentos um grão de cálculo e de dissimulação, que, sobre ser muito feminino, anuncia decisivamente a figura esfíngica de Capitu. Entre as duas, a diferença é de grau, porquanto Lívia estava cercada pelos preconceitos da moral burguesa, que aceitava e praticava:

"Era um modelo de dissimulação e cálculo. Conhecia todos os artifícios da campanha amorosa, a indiferença, o desdém, o entusiasmo, e até a resignação." (p. 67)

A ênfase nos gestos e traços psicológicos, a ponto de reduzir as ações praticamente a zero, em favor das "tomadas" internas das situações e das pessoas, faz-se acompanhar da tendência para investigar a psicologia do indivíduo e das relações sociais, e, mais ainda, para introduzir comentários e reflexões, à maneira de quem fosse tirando a "moral da história" imediatamente depois de cada acontecimento:

"A vida é uma ópera bufa com intervalos de música séria."

"O homem não se esconde de si mesmo, e o maior infortúnio dos corações pusilânimes é sentirem que o são." (pp. 141, 153)

A essa tendência para a reflexão à La Rochefoucauld não é estranho o pendor para reflexões de natureza filosófica, às vezes ligado a um fino humor de extração britânica, que fará de Machado de Assis caso único na Literatura Brasileira:

"O médico assistente dera à moléstia um nome tirado não sei se do grego, se do latim." (p. 89)

4. Ainda se poderiam acrescentar outros aspectos que prefiguram com muita clareza os fundamentos da obra ficcional de Machado. A presença do *parasita*, ou do agregado, encarnado por Viana, — "um parasita consumado, cujo estômago tinha mais capacidade que preconceitos, menos sensibilidade que disposições. [...] Nasceu parasita como outros nascem anões. Era parasita por direito divino" (p. 36), — digno ancestral do José Dias de *Dom Casmurro*, que acabaria por se tornar um protótipo no gênero. Cecília, cortesã de luxo, é a antecessora de Marcela, que mercadeja os seus afetos nas *Memórias Póstumas de Brás Cubas*. E Félix, no seu amor repassado de "um gosto amargo, travado de dúvidas e suspeitas" (p. 81), não se diria pressagiar o ciumento Bentinho? Enfim, no romance de estréia Machado já se mostra inclinado ao ceticismo que se tornaria uma das traves mestras da sua ficção.

Como se vê, algumas das características mais relevantes da obra de ficção que distingue Machado de Assis nos quadros da literatura brasileira dos fins do século XIX e o realça como o maior vulto das nossas letras, já estão presentes no primeiro romance. Quando, a partir de *Memórias Póstumas de Brás Cubas*, tais potencialidades se concretizaram em realizações maduras, o talento machadiano alcançaria o ápice. E quando, com o *Memorial de Aires*, encerrava a sua "comédia humana" fluminense, fechava com acordes sinfônicos o circuito aberto com *Ressurreição*, numa coerência de estilo e de visão da realidade que constituem marcas de incomum determinação de caráter e de projeto estético.

Notas

1. Machado de Assis, *Ressurreição – A Mão e a Luva*, S. Paulo, Cultrix, 1969, p. 175.
2. *Idem, ibidem*, p. 34. As demais referências vão indicadas no texto.

4

O Romance na Visão de Machado de Assis

1. Machado de Assis pôs a marca do seu talento singular em tudo quanto escreveu: teatro, crítica, crônica, poesia, correspondência, conto, romance. Reservou, porém, o melhor de si para essas duas últimas fôrmas. Se alcançou realizações notáveis como teatrólogo, poeta e cronista, foi o romance e o conto que serviram de área propícia para a concretização mais alta das suas virtualidades estéticas. Apesar disso, ou precisamente pelo fato de as duas modalidades de intervenção apresentarem tal brilho e grandeza, uma dúvida logo nos chama a atenção: terá sido Machado de Assis, na essência, contista ou romancista? Por outras palavras, sendo o conto e o romance as expressões maiores do gênio machadiano, em qual delas mais concretamente se realizou e definiu as suas tendências literárias?

Bem sabemos que constituem módulos narrativos com características específicas, que vão desde a estrutura até a mundividência que por meio deles se exprime. E por isso, não podemos compará-los, a não ser que tomemos o cuidado de estabelecer um paradigma comparativo que leve em conta tudo quanto há de específico em cada uma delas. Mas aqui se trata de ver em qual das duas mais vincadamente transparecem as qualidades do escritor, qual delas mais agudamente reflete a sua visão das coisas. Tudo faz crer que Machado de Assis se realizou mais no conto do que no romance. Não só pelo aspecto numérico, o que reconhecemos ser pormenor secundário, mas pelo seu conteúdo e novidade na fabulação, o conto parece dominar em sua obra.

De tal modo essa terá sido a fôrma literária por intermédio da qual Machado mais finamente se expressou, que os seus romances não dissimulam que podem ser entendidos como alargamentos de contos, ou seja, parecem contos enxertados de reflexões e de episódios que funcionam como cenário social ou atalhos da ação central, que, na verdade, se reduz a pouco. Mesmo nos romances românticos, como vimos em *Ressurreição*, a ação ocupa menos espaço que o conflito dos caracteres e das paixões. Mas não constituem o mais significativo da sua obra porque o olhar analítico do ficcionista ainda não se fixara plenamente na intimidade dos protagonistas, como viria a acontecer com os romances realistas. Quase se diria que a linha evolutiva de Machado começa com a narrativa romântica, ainda marcada por algumas peripécias, e termina com a narrativa realista, onde a reflexão e a sondagem psicológica predominam. Vale dizer: inicia-se mais próxima do romance como tal e evolui no rumo do romance como expansão do conto.

Como se sabe, a crítica já se habituou a admitir que Machado de Assis escreveu quatro romances românticos e cinco realistas. De caráter didático, essa divisão corresponde, como já vimos, a meia verdade, pois as obras de Machado de Assis escapam a um alinhamento automático com qualquer uma das estéticas. Podemos fazê-lo em nome da clareza expositiva, mas tendo sempre na mente que não se trata de fases, e, sim, de momentos, ou maneiras, entre as quais não há discrepância fundamental capaz de justificar que pertençam a estéticas opostas, como se entende sejam Romantismo e Realismo. Marcadas pelo sinal de unidade ou de *continuidade*, ao invés de opostas, identificam-se pelo trabalho de uma vocação que se vai delineando e progredindo à medida que se concretiza em obras. Basta cotejar os romances da primeira fase com as narrativas de Macedo ou de Alencar, para se perceber que as semelhanças, ainda que decorram do influxo desses prosadores, são fortuitas, além de modificadas substancialmente, e as diferenças, marcantes. É só ter em mente a transformação operada no tratamento do entrecho, das personagens e na estrutura, para se compreender que estamos em face de um romancista dotado de recursos capazes a um só tempo de superar o modelo corrente na época e de anunciar uma nova maneira de conceber e escrever ficção.

Sabe-se que Machado de Assis, premido pelas circunstâncias, a vida toda compôs obras em obediência ao gosto pequeno-burguês das leitoras do tempo. Assim o fez em contos, em crônicas e em peças de teatro, mas não em romances, salvo até certo ponto os da primeira fase, nos quais, por outro lado, se pode localizar muito daquilo que dará toda a medida do seu talento inventivo. O entrecho, liberto da preocupação de alinhar acontecimentos como uma série de nós que se vão entrelaçando e depois se vão desatando com o passar do tempo, reduz-se ao essencial para manter a consistência dramática e prender a atenção do leitor. E a razão dessa economia da estrutura narrativa se deve a que os quatro romances da primeira fase já apresentavam a gravidade que na fase seguinte se associará ao humor e à ironia, não raro de fundo cético. Não lhe importando apenas fazer obra de entretenimento, para desfastio da leitora burguesa, ávida de histórias lineares de amores contrariados por equívocos adolescentes ou pela ética do dinheiro, Machado ainda focaliza casos amorosos, mas com uma austeridade que acaba por levar o entrecho para o trágico ou, ao menos, para soluções nada convencionais. A água com açúcar do romance macediano dilui-se ante essa visão que já começa a ser do "real por dentro", permitindo enxergar igualmente os epílogos negativos dos embates amorosos.

2. É o caso de *Ressurreição*, como vimos, e também de *Helena*, em que o trágico desenlace, coroando uma intensa e impossível paixão amorosa, nos revela uma heroína romântica sem par na galeria dos romances da época. Nela já se entrevê a densidade interior das outras personagens femininas de Machado, tendo Capitu à frente, uma vez que se assemelha mais à menina faceira de Matacavalos do que às figuras esboçadas pela imaginação de Macedo. Um confronto com a moreninha da ilha de Paquetá poderia oferecer toda a densidade trágica de Helena e toda a adolescência cor-de-rosa da heroína macediana. Explorando, como em nenhum outro romance, a intriga como núcleo de interesse, Machado joga com o mistério, os equívocos, as interrupções, em especial quando as questões se referem a Helena, cuja vida pregressa, sendo ignorada de todos, vem aureolada de segredo. Mas o centro das atenções é ainda formado pelas personagens femininas: *Helena* é, notoriamente, um romance de mulheres, como, aliás, todos os outros de Machado, ainda quando, é o caso de *Dom Casmurro* ou de *Esaú e Jacó*, o título nos induza a pensar o contrário.

Mesmo em *A Mão e a Luva*, o inesperado encerra o caso amoroso, a dar a impressão de arranjo do romancista e das personagens, uma vez que estas se entregam ao casamento, fim último do romance romântico, não sem um certo cálculo e um tanto friamente. É de supor, por isso, que os desajustes matrimoniais, núcleo dos romances realistas, serão decorrência natural desses casamentos. Reduzida ao essencial, a trama faz-se acompanhar do adensamento interior das personagens femininas, nas quais incidem os pontos altos da narrativa. Além de Guiomar, dona de um caráter complexo que explica por que Machado a escolhera como fulcro do romance, é de salientar Mrs. Oswald, astuciosa e politiqueira, que faz pensar numa Juliana, a criada de dentro da Luísa queirosiana, embora adoçada por um temperamento em que se mesclavam, num paradoxo tipicamente romântico, egoísmo e amor ao próximo. Algo semelhante ocorre em *Iaiá Garcia*: na ingenuidade da protagonista que empresta o nome ao romance não é nada difícil perceber o cálculo, fruto do conluio das forças do coração e as da mente, como se também ela se guiasse pelo modelo de mulher que Capitu personificaria. Estela, que gravita na sua órbita, consegue sair das sombras, tanto quanto Mrs. Oswald: nessa altura, Machado é já um pintor de almas, que não esconde a predileção pelas personagens secundárias, as quais retrata com incisivas mas ligeiras pinceladas, como se também adestrasse a mão na técnica pictórica que lhe serviria para delinear a heroína de *Dom Casmurro*.

Junte-se a tais aspectos a tendência machadiana para criar obras de reflexão, sem os brilhos do entusiasmo fácil ou da inspiração fogosa, como era corrente na época romântica. Lembre-se, nesse particular, das circunstâncias em que Macedo compôs *A Moreninha*, e em que Camilo tecia a intriga das suas novelas, de modo especial a mais célebre de todas, *Amor de Perdição*, escrita em poucos dias, numa espécie de febre criativa. Desse respeito pela criação do romance como obra grave, instrumento privilegiado de acesso ao conhecimento da realidade, espelho onde a realidade se espelha e se refrata, já manifestado no princípio da carreira de Machado, nascem obras de estrutura harmônica, sem os excessos da prosa de ficção romântica em voga. O romancista emprega com parcimônia os recursos que acionam o enredo, como a descrição e a narração, sobretudo ao retratar personagens e desenhar situações. Com breves traços, o escritor compõe o quadro que pretende esboçar, e se alguma vez se demora um pouco mais do que nas obras posteriores, é porque está a exercitar a sua capacidade artesanal. Entretanto, é só colocá-lo em paralelo com os confrades românticos para ficar claro como Machado, ao mesmo tempo que desobedecia aos estilemas românticos, estava a evidenciar, ainda que um pouco embrionariamente, os expedientes narrativos que iriam fazer dele o superior romancista de *Dom Casmurro*.

Ao lado da economia da fabulação, situa-se a tendência para a narrativa em câmara lenta, já presente nas obras da mocidade e plenamente realizada nos demais romances. Machado compunha devagar, sem pressa, como a lapidar as suas páginas a fim de lhes extirpar todos os sinais de improviso ou de precipitação. Assim como o pai de Iaiá Garcia, ele "trabalhava silenciosamente, com a fria serenidade do método"[1]. Realizava aquilo que já era lugar-comum: "O gênio é uma longa paciência". A calma, a paciente atenção aos pormenores, acompanhando, sem atropelos, o evolver das coisas, é uma qualidade visível nos primeiros romances. Para bem avaliar o significado dessa estratégia criativa, basta observar a aceleração que os românticos costumavam imprimir às suas narrativas, recorrendo a lances estimuladores da curiosidade, a fim de manter viva a atenção do leitor. Recurso primário em matéria de romance, é substituído por uma sobriedade de observador paciente e reflexivo dos acontecimentos: a ação pela ação cede vez à ação que faz pensar, da qual se possa tirar algum ensinamento ou, ao menos, uma compreensão mais aguda do ser humano.

Diante disso, compreende-se que os nove romances machadianos obedeçam a duas claves técnicas, a da unidade e a da transformação: as latências vão-se manifestando ao longo dos anos, sem prejuízo da coerência de propósitos e de princípios orientadores. E não só no que toca à matéria de arte. Por outros termos, a unidade da obra não significa ausência de mudança. E vice-versa: a transformação não pressupõe a perda da unidade. Machado evolui à medida que se entrega à criação literária, ou melhor, a sua aparelhagem imaginativa afina-se na razão direta dos anos e das obras publicadas, desenvolvendo as latências que se manifestavam desde a obra inaugural. Em suma, exibe-se no cerne da sua originalidade desde os primeiros cometimentos, e vai-se requintando obra a obra, numa coerência sem par, até perfazer o circuito no texto final. Desde *Ressurreição* até *Memorial de Aires*, observa-se uma linha ascendente, como escritor e como homem. A tal ponto que a evolução significará o paulatino arrefecer do narrador de histórias e o correspondente amadurecimento do pensador, que reflete amargamente a respeito da condição humana.

3. Eis por que a primeira obra é mais romance que a última, entendendo-se por esse designativo a recriação, em termos imaginários, de personagens, dramas, cenários, tempo e espaço, à imagem e semelhança da vida em sociedade. O romance é sempre uma forma de objetivação, implica o outro "em situação", ao contrário da poesia, que se caracteriza pela subjetivação, por centrar-se no sujeito do poema, isto é, nos conteúdos da sua imaginação. Ali, o foco de luz converge para a realidade fora do sujeito do conhecimento; aqui, para dentro dele. Por isso, no romance, o narrador coloca-se à margem dos acontecimentos, não interfere, apenas contempla, analisa, reconstitui: ainda que privilegiado, é um espectador; o *eu* isola-se em favor do *não-eu*. Machado de Assis, voltado por temperamento e circunstância, sobretudo na maturidade que lhe acompanha o casamento, para a especulação filosófica, não poderia enquadrar-se submissamente nos limites do romance, embora encontrasse nele o espaço ideal para dar forma à sua visão do mundo. Deriva, volta e meia, para a reflexão, em torno de personagens envolvidas por uma atmosfera "moral", metafísica até.

É óbvio que todo romance pode conter esses ingredientes, mas não sem correr o risco de ultrapassar as suas barreiras estruturais. Basta lembrar a obra do seu contemporâneo Aluísio Azevedo, superior vocação de romancista, das mais consistentes das nossas letras e certamente a mais vigorosa do seu tempo, para nos mostrar que Machado de Assis é sobretudo escritor, pensador. Ao passo que o autor de O Cortiço, apesar do compromisso moral com a revolução implícita na estética de Taine e Zola, é acima de tudo um exímio contador de histórias.

Daí que o melhor que Machado de Assis produziu no setor do romance esteja na segunda fase, em que as suas qualidades de ficcionista se manifestam de modo integral e definitivo. Helena constitui o romance mais bem realizado da fase inicial, mas não serve como padrão de grandeza da obra machadiana, ainda que esteja acima da ficção romântica predominante entre nós. Nos romances a partir de Memórias Póstumas de Brás Cubas, pouco ou quase nada acontece: não raro, os episódios relevantes, ou são subentendidos ou insinuados. Em seu lugar, com a sua atenção armada de microscópio, o narrador faz o close-up das personagens, visando a analisá-las de perto. Penetrar-lhes a alma e os pensamentos, em busca, no mais recôndito da sua vida interior, da fonte dos dramas e do seu posterior desenvolvimento, — eis o seu objetivo maior. A sondagem interior não se detém nas primeiras camadas, como de hábito no romance romântico, segue em busca das regiões profundas, para além da consciência, onde se escondem os conflitos mais densos. Numa palavra: sondagem no inconsciente, como se a convite da Psicanálise. Visão da interioridade, mergulho no recesso do indivíduo guiado por imponderáveis, em atrito com personagens igualmente orientadas pelas pulsões abissais. No contexto social, assim como no interior de cada um dos seus membros, reinam "forças ocultas". E as pessoas se identificam mais por essas zonas de sombras do que por aquilo que deixam conhecer aos outros no convívio em sociedade.

4. Para esse mundo se dirige a lupa aguçada e o olhar penetrante de Machado. O retrato físico das personagens ocupa-lhe brevemente a atenção: duas ou três pinceladas, e o esboço da figura está pronto. O que lhe importa é detalhar o caráter na sua potencialidade, nos seus meandros interiores. De onde procurar surpreender-lhe os aspectos denunciadores da mais funda intimidade. Retrato funcional, diríamos, em que poucas minúcias bastam, graças à coerência com os estratos psicológicos que revelam. É lembrar, mais uma vez, o clássico retrato de Capitu, cujos "olhos de ressaca", de "cigana oblíqua", são altamente expressivos de uma criatura de intensa e complexa vida interior. Atente-se, contudo, em que a descrição do estranho e significativo olhar não tem valor em si, pois não se trata de um retrato que vale pelo pitoresco ou o inusitado. Capitu só é Capitu na medida em que ostenta esses olhos; fossem outros, e sua vida interior seria outra, isto é, psiquicamente diversa. É possível que Machado de Assis estivesse exercitando as propostas de um ramo científico em voga no tempo: a biotipologia.

Pode bem ser que resulte do seu estímulo a congruência assinalada entre o aspecto físico e o mental, mas é preciso pensar que o retrato, para ser erguido dentro dos limites da psicognomia, teria ainda de apresentar outros pormenores do rosto. Melhor seria entender que Machado lê, *ou divisa*, nos olhos de Capitu o que lhe vai na alma. De onde não lhes mencionar a cor ou o formato; somente os insinua, fazendo-os reveladores do que se passa no íntimo da personagem: "os olhos são espelho da alma". Em suma, por lhe interessar o que está para além da aparência, aquilo que nem sempre se transforma em palavras ou gestos, Machado não se demora no retrato físico.

Com isso, o enredo reduz-se a pouco, ao fundamental, para dar estrutura ao romance. Nesse particular, as narrativas machadianas, sobretudo as da segunda fase, são cada vez mais sóbrias, sem apelar para os lances que desempenham a função de provocar, não raro artificialmente, a seqüência da intriga. Mesmo o epílogo enigmático corre por conta dessa impressão de vida, em que certos fatos apenas se revelam em sua inteireza quando em fim de processo. Até então, tudo é obscuro ou, quando muito, digno de suspeita. A fabulação organiza-se com o mínimo de acontecimentos e com o máximo de análise. Esta, por sua vez, tende a afastar a idéia de relativismo e a anular as conexões da história e os seus protagonistas com o tempo e o espaço. Os acontecimentos parecem transcorrer num plano de intemporalidade e de inespaciabilidade, visto interessar menos o circunstancial do que as motivações de caráter que resistem às condições externas. Como que desligadas do calendário e da geografia, as personagens semelham mover-se num clima e num espaço que só é carioca e finissecular por acaso. Mais do que um truque de perspectiva, o narrador póstumo Brás Cubas é um exemplo de visão fora das coordenadas euclidianas, à beira do fantástico, consumação de uma tendência peculiarmente machadiana.

É notória a pobreza dos elementos paisagísticos: Machado ambienta as suas histórias no espaço social fluminense, tendo a natureza do Rio de Janeiro como pano de fundo, mas elas, em razão do realismo interior, poderiam suceder em qualquer parte. É só mudar os nomes das personagens, do local geográfico etc., para que tudo continue a existir da mesma forma. Daí a universalidade da obra machadiana, a capacidade inigualável de tratar as personagens como se encarnassem idéias ou situações, como verdadeiras metáforas ou símbolos, vizinhos da tragédia grega. Envergam máscaras para se esconder, ou antes, para se mostrar, as quais, por sua vez, constituem representações simbólicas, instrumentos de ascensão a transcendências e de subtração ao cotidiano banal. Protagonistas de um teatro dentro do teatro, neles se divisam poucos signos de individualidade, pois representam outros que não eles próprios: porque símbolos, encarnam tendências universais do homem. Para Machado, o ser humano é mesquinho em toda parte e sempre, uma vez que integrante "desta mofina sociedade humana", como diz em *Ressurreição* (cap. XXIV). O universalismo dessas personagens-símbolo é das notas mais eloqüentes da superior envergadura da obra machadiana.

É só atentar para Capitu, Bentinho, Brás Cubas, Rubião, Conselheiro Aires e outros, todos eles a personificar um vício ou uma tendência como que inata do ser humano. De onde a obsessão que as acomete, ora expressa na dissimulação levada ao mais alto grau, ora na loucura que lentamente se manifesta e no delírio próximo da alienação, ora na conformada aceitação da vida e os seus fantasmas. Essas formas de obsessão é que na realidade constituem as causas motrizes ou mesmo os agentes dos romances. Há momentos, disseminados pelas narrativas, em que se torna patente a identificação de umas e de outras ou outros, como é o caso do delírio no qual Brás Cubas repassa, deformando-os e metaforizando-os, segundo pedia a linguagem alógica que lhe é própria, os grandes eventos que compõem a história da humanidade. Era, como se sabe, o auge da busca do impossível, a utopia do *emplasto* ou a filosofia do Humanitismo.

O obsessivo alça-se, como se vê, ao alegórico: intuindo planos que se confundem com os enigmas que se ocultam nos caprichos da sorte, Machado insinua-os através do processo indireto da proliferação metafórica. Não estranha que o faça, tão universal é, como sabemos, o emprego da metáfora, já na Bíblia, já na Poesia, para não mencionar a linguagem falada. Daí para a alegorização é um passo: Machado dá o melhor do seu talento para bem surpreender as correntes cruzadas que tecem o labirinto da alma e da vida humana.

Ao emprego da alegoria deve acrescentar-se a inflexão intelectualizante e filosofante, sobretudo depois de *Memórias Póstumas de Brás Cubas*. Pelo primeiro qualificativo se entende não só a postura adotada pelo narrador, cuja presença reflexiva é constante, mas também o fato de as personagens atuarem menos com os instintos do que com o cálculo, pondo as artimanhas da razão acima das apetências do coração. Calculistas, frias, as suas vidas regem-se pelo afã de alcançar um bem desconhecido, ou, se mesmo conhecido, que somente lhes traz infelicidade. É o caso das personagens citadas, dentre as quais Capitu, entregue ao império da vontade, conduzida por um capricho, ou uma espécie de determinismo mítico, a praticar o adultério com impressionante frieza e cálculo. A mesma frieza e cálculo usou ela para casar e tudo o mais; faltou-lhe *amar* onde só havia *querer*, o querer da inteligência e dos sentidos. O desejo de um filho, que Bentinho não lhe pôde dar, prevaleceu sobre as conveniências sociais. É ainda o caso de Brás Cubas, atraído por desfastio, pelo gosto da aventura, para o amor fora do casamento com Virgília, que realiza não sem uma ponta de cinismo. Refletindo certamente a inclinação do narrador, tem na ironia a sua arma predileta. Trata-se, afinal, de personagens vazias de sentimentos e saturadas de imaginação intelectual ou sensorial. Se lhes ocorre manifestar alguma vibração, é mais por racionalizar do que por amar: é certo que o objeto do desejo pode satisfazer-lhes os sentidos, mas também é verdade que a inteligência lhes proporciona não poucas recompensas. Só servem de exceção as personagens de *Memorial de Aires*, além de Flora, protagonista de *Esaú e Jacó*. Indecisa entre amar um dos gêmeos Pedro e Paulo, impelida por sentimentos de pureza romântica que fazem lembrar Helena, Flora acaba morrendo de sofrimento moral. A cena da sua morte é das mais comoventes e poéticas de quantas saíram da pena de Machado. Ainda adolescente, flui para a morte à semelhança da Ofélia shakespeariana, como se procurasse dar fim à batalha que a sua alma travava para resolver o impasse de bíblicas ressonâncias. Flora deixa-nos a impressão de uma paradoxal idéia de felicidade. Apesar da complexidade do seu caráter e do mistério da sua origem, não apresenta a força duma Virgília e, menos ainda, de Capitu, mesmo porque a faceta marcante da companheira de Bentinho é representada notadamente por D. Cláudia. Flora era mais uma idéia poética, quem sabe um ideal de juventude e de beleza que Machado criou para se contrapor à galeria de mulheres astuciosas que lhe povoam os romances, sobretudo da fase realista. Ainda seria de observar o Conselheiro Aires, que é o narrador do fatal dilema que serve de núcleo a *Esaú e Jacó*: uma espécie de anti-Conselheiro Acácio, em razão do seu perfil complexo, pendendo entre uma concepção estóica da vida e uma certa náusea schopenhaueriana da humanidade, é bem a encarnação do ceticismo machadiano. Ele voltará a representar um papel relevante nas memórias que legou à posteridade.

5. Quanto à tendência para a indagação ou o comentário de natureza filosófica, por instigação dos pensadores ou não, igualmente se manifesta nos romances da segunda fase, mas nos primeiros já se fazia sentir de algum modo. As personagens e o seu drama existencial servem ao romancista para expressar uma cosmovisão, talvez impossível de ser concretizada pelos mecanismos próprios da filosofia, puxados à abstração e aos conceitos. Graças à linguagem indireta da ficção, operando a transferência do objeto de representação do pensamento, ou algo como o "fingimento" poético de que fala Fernando Pessoa, Machado põe à mostra o avesso das personagens e revela os mecanismos sutis de que se valia para penetrar na realidade social a fim de lhe sondar as zonas obscuras. Assim como as suas personagens, ele mais se revelava quanto mais se escondia. O mundo, ao seu ver, não é opaco nem organizado, mas o seu brilho confunde e a sua aparente organização, além de ser fruto do pensamento racional, esconde o caos.

As metáforas, presentes na descrição do mundo, como este se afigura ao narrador, também servem às personagens como instrumento de eleição: é o processo de "encobrimento", de "camuflagem", usado pelo escritor para melhor surpreender as armadilhas do real, tendo em vista o conhecimento mais sólido e a visão mais consistente do mundo, e pelos protagonistas como astúcia e jogo de cena no palco em que desafiam o destino. Eis por que nesses romances se adivinha, por trás da sua frieza, uma alma que se confessa, que dialoga com as páginas e com as suas inquietações e dúvidas, num solilóquio que é marca de ceticismo ou de misantropia crônica. Daí o gosto da filosofia pessimista, marcada pelo isolamento e pela auto-superação, e pela noção de que o gozo dos sentidos termina em degenerescência. O pessimismo, que é mais propriamente ceticismo, sustenta essa visão de um mundo formado de Capitus, Virgílias, Sofias, Brás Cubas, Rubiões e muitos outros, tocados pelas asas da paixão que aniquila e da descrença que mata. Por sinal, no "Prólogo da quarta edição" das *Memórias Póstumas de Brás Cubas*, Machado adverte para a particularidade de que o narrador possuía "rabugens de pessimismo [...], um sentimento amargo e áspero, que está longe de vir dos seus modelos", ou seja, Garrett, Sterne e Xavier de Maistre. Calava, no entanto, que Schopenhauer bem podia ser a fonte dessas rabugens.

Por outro lado, não se deve tomar ao pé da letra as notas de ceticismo que o romance machadiano apresenta em sua expressão mais madura. Dado à introspecção, afeito a refletir a propósito de si próprio e dos outros à sua volta, não surpreende que Machado derivasse para posições intelectuais que lembram o niilismo schopenhauriano. De onde o final pessimista das *Memórias Póstumas de Brás Cubas*, que funciona como uma síntese da cosmovisão machadiana difusa pelos romances e demais obras: a miséria que o protagonista não quer transmitir a ninguém refere-se a todo o corpo social e não apenas a si próprio. Por muito se conhecer e conhecer o "outro", cedo ou tarde acaba por desiludir-se com os que correm em busca das ilusões falazes como o dinheiro e o sexo. Assim se enxergava Brás Cubas e com ele Machado de Assis, diante da própria experiência e do mundo que agudamente observaram em sua longa vida. Dotado de penetrante e fino senso de observação, típico dos introvertidos, o criador de Capitu alcançou com a maturidade uma isenção crítica de fundo estóico, que deixou vazar na forma *zen* de uma desilusão perante a vida. O olhar que lança sobre a espécie humana não é de ódio, nem de pessimismo livresco, mas de quem não acredita que o homem possa ir além da condição animal. Norteado por uma convicção que lhe viria ao mesmo tempo da leitura da Bíblia e da observação, o ser humano, movido que é pela vaidade, parece-lhe sinônimo de miséria. Servindo de porta-voz de Machado, Brás Cubas consolava-se de não haver legado a sua (e alheia) miséria, isto é, não deixava descendentes, chegando provavelmente à mesma conclusão de Schopenhauer, ou dele recebendo a inspiração: a "afirmação [da vontade de viver], que ultrapassa o próprio corpo do indivíduo e vai até à procriação dum novo organismo, assegura ao mesmo tempo a dor e a morte, essenciais ao fenômeno da vida, e declara perdida, por esta vez, qualquer possibilidade de redenção que a inteligência, ao chegar à sua mais alta perfeição, teria podido oferecer"[2].

Mais ainda: não se satisfazendo com o conhecimento das coisas, o narrador põe-se a campo para o mostrar, quem sabe com o intuito pedagógico de passar ao leitor o fruto do seu saber, uma vez que o puro entretenimento estava muito longe dos objetivos de Machado. Forcejando por mostrar as várias facetas da realidade social, as suas obras não podiam esquecer a presença sufocante do erro ou do mal. Tanto assim que este prevalece sobre as virtudes e sobre o bem. De onde a proximidade com o *Eclesiastes* ("Vaidade das vaidades, tudo é vaidade") e com a filosofia de Schopenhauer, de quem teria recebido influência: "Mas toda vontade tem por princípio um desejo, uma falta, isto é, uma dor; por sua origem devem, necessariamente, votar-se ao sofrimento. Mas se à vontade porventura vem a faltar objetos a desejar, ou se uma satisfação muito fácil prontamente arrebatou todos os motivos do desejo, apodera-se dela um vazio espantoso, o tédio; o seu próprio ser, a sua própria existência tornam-se-lhe um insuportável fardo. [...] Quanto à vida dos indivíduos, toda biografia é uma história de sofrimento; porque, em regra, toda existência é uma série contínua de grandes e pequenos malogros".[3]

Mas não se perca de vista que o ceticismo de Machado de Assis não significa ausência de esperança ou de fé, como bem atestam as suas obras: na ascensão em busca dos valores que engrandecem e servem de antídoto ao pessimismo ou ceticismo, é necessário aguardar o *Memorial de Aires*, mensagem de paz e de esperança para os que, cultivando os dotes do espírito, buscam implicitamente atenuar ou compensar a miséria. Com a última obra, Machado completava a sua trajetória e o seu ideário, em clima de otimismo, de crença num mundo melhor regido pelos valores do coração.

6. Todavia, enquanto não chegava o momento de fechar o círculo aberto em 1872, com *Ressurreição*, a miséria humana inspirava-lhe sutil ironia, expressa por intermédio de um baile de máscaras enganador ou feira das vaidades, da qual alguns se evadem pela loucura (Rubião), pelo delírio (Brás Cubas), pela casmurrice neurótica e azeda (Bentinho). A ironia implicava, quando não determinava, o humor, um humor fino, sereno, mas não menos dissolvente, resultante que era da visão a um só tempo desalentada e impiedosa do espetáculo humano, composto de passagens risíveis, como os superlativos de José Dias, a teoria do emplasto, o Humanitismo. Humor negro, ao fim de contas, enunciado com uma fleuma de britânicas lembranças, advindo da captação do ridículo social. O romancista parece sorrir atrás das lentes de míope, mas sorri filosoficamente, deixando reticências no ar, como a sugerir-nos que tocamos ali o mistério maior, sem encontrar as palavras adequadas para o exprimir senão recorrendo ao humor.

E este é ainda um subproduto do amor machadiano às reticências ou à técnica narrativa em que o enredo é interrompido de tempos em tempos, como se o narrador não se recordasse de alguns detalhes ou quisesse semear a história de interrogações que, com o propósito de serem verossímeis, mais acirram a curiosidade do leitor. Basta ver como o romancista não faz a mínima referência à tarde da visita de Escobar a Capitu, em que Ezequiel teria sido concebido, e só mais adiante, por vias indiretas, é que se tem a revelação de tudo. O ato, em si, pouco vale; só tem valor o seu resultado. O processo suspensivo ou a visão oblíqua, de quem sabe não ser onisciente (afinal, o narrador é Bentinho, que estava ausente por ocasião da visita de Escobar), é uma forma de assinalar o desconhecimento da realidade profunda das coisas e dos acontecimentos. O diálogo de Adão e Eva, como já vimos, é o exemplo acabado de como os momentos decisivos não necessitam ser narrados para ganhar identidade, ou escapam de o ser, justamente porque se mantêm inacessíveis ao olhar e à língua humana.

Tal processo ainda se sustenta no constante apelo à memória, cuja força, de resto, se manifesta desde as primeiras obras, pela intervenção do romancista no fluxo da intriga e as idas e vindas de quem se recorda. Nos romances da maturidade, porém, o seu papel assume vital relevância, bastando levar em conta que dois deles (*Memórias Póstumas de Brás Cubas* e *Memorial de Aires*) contêm no título a evidência da sua marcante presença. As narrativas fluem no passado, como longas retrospectivas, obrigando a memória a extrair das suas entranhas a matéria da intriga. Somente depois que o tempo agiu sobre os acontecimentos, as cenas e os seus protagonistas, transformando-os em matéria da memória, é que o narrador se dispõe a praticar o seu ofício: para que a ficção se realize, é preciso aguardar pacientemente o trabalho da memória. Todo romance, para não dizer toda obra de ficção, é romance de memória. Sem esta, o relato imaginário equivale a uma reportagem, sem espessura para além dos acontecimentos fixados tão contemporaneamente quanto possível. Mas sabemos que é humanamente impossível escrever ao mesmo tempo que os acontecimentos transcorrem: por mais que o façamos, sempre será depois de os testemunhar. O resultado já nos é conhecido: a narrativa linear, fotográfica, que os realistas de índole positivista e os naturalistas teimaram em produzir. Proust é o seu anverso, e dele é que Machado está mais próximo.

Bentinho, por exemplo, narra a sua tragédia doméstica, envolvendo várias personagens, todas elas transfiguradas por suas melancólicas lembranças. A memória é que preside o espetáculo, tecendo o fio condutor da narrativa; o tempo é o pretérito, ainda quando nos dá a impressão de fluir no presente da leitura. O tempo é o da memória, com todas as distorções que esse mecanismo implica, de tal modo que rememorar corresponde a recuperar o tempo perdido, e vice-versa. A paixão, vida e morte de Capitu, assim como o purgatório a que foi condenado Bentinho, são artes e partes da memória, ou do passado, que se negam a desaparecer. Narrado o fato, parece que a memória se esvazia, mas ela continua a se fazer presente, como um interminável trabalho de Sísifo. Desfeita a noção do tempo do calendário (com a sua correspondente noção de espaço), a ação do romance desenrola-se no plano dum devir perene, na chamada *duração* bergsoniana: "A duração é o progresso contínuo do passado que devora o que está por vir e infla à medida que avança. [...] é a continuidade da nossa vida interior. [...] É uma memória interior à própria mudança, memória que prolonga o antes no depois e os impede de ser puros instantâneos aparecendo e desaparecendo num presente que renascesse ininterruptamente"[4].

Essa intemporalidade, além de resultar do processo em que a memória se desvenda ao reconquistar o tempo perdido, decorre dos ventos míticos que atravessam brandamente os últimos romances machadianos, marcados pela transformação das personagens em símbolo. A sondagem no tempo, o regresso até a mais remota sensação, não se realiza impunemente: recordar o passado é não raro sinônimo de sofrimento. Ainda que se volte a momentos de alegria e felicidade, estes se convertem na saudade, o "gosto amargo de infelizes" de que falava Garrett. Ao rememorar postumamente a sua vida, seguidas vezes, sem pausa, pela eternidade fora, conquanto o faça com a jocosidade baseada em experiências de prazer, Brás Cubas não esconde o travo de amargura de uma existência frustrada, como se condenado a recordar-se dela à maneira de Tântalo, num perene círculo vicioso. De todo modo, nessa obsessão emerge ainda uma vez o desejo de restaurar as entrelinhas da experiência diária para lhes dar vida, pois somente é vida o que ficou retido na memória. Introspecção dolorosa, mas um achado estético, que prenuncia o romance em moda no século XX.

7. Com o *Memorial de Aires*, fechava-se o ciclo iniciado em *Ressurreição*. Invertendo a equação de *A Mão e a Luva*, Machado escolhe Tristão e Fidélia para protagonistas: ele, moço e solteiro, médico, amadurecido pelas viagens e pela experiência; ela, viúva recente, ainda carregando sinais de luto, fiel à memória do marido. Envolvidos dum halo de pureza, resolvem finalmente casar-se. O ceticismo machadiano, que antes se comprazia em situar as fraquezas do casamento burguês que degenerava em adultério, agora exibe a outra face: os sentimentos autênticos, alicerçados na maturidade e no culto aos valores espirituais, levaram a outro destino, — essa a mensagem do último romance da série começada em 1872. O final feliz constitui a apoteose dum clima em tudo oposto ao das *Memórias Póstumas de Brás Cubas*: o casal Aguiar, modelo de felicidade conjugal, tinha uma "única ferida", "um só e grande [ressentimento da vida]; não tiveram filhos"[5].

O clima em que se passa o diário do Conselheiro Aires é marcado pela transparência, a começar da descrição das personagens, como se nenhum dos seus traços escapasse ao olhar experimentado do narrador. Fidélia "parece feita ao torno", diz ele, querendo com isso "aludir somente à correção das linhas", e acrescenta sem intervalo, " — falo das linhas vistas; as restantes adivinham-se e juram-se. Tem a pele macia e clara, com uns tons rubros nas faces, que lhe não ficam mal à viuvez. Foi o que vi logo à chegada, e mais os olhos e os cabelos pretos" (p. 31). Experimentava o autor aquilo que Rodrigo Octávio chamaria de "memória dos outros", assinalada pela objetividade, ainda que relativa, do retrato. O Conselheiro pinta-nos Fidélia ao natural. Tanto assim que, mais adiante, diz o seguinte: "o que naquela dama Fidélia me atrai é principalmente certa feição de espírito, algo parecida com o sorriso fugitivo, que já lhe vi algumas vezes" (p. 48). A transparência é manifesta, ainda que se possa advertir nesse "sorriso fugitivo" certo traço de caráter que escapa ao entendimento, mas trata-se verdadeiramente de uma metáfora que não deixa dúvida quanto à "feição de caráter". Nada que se pareça com os olhos de Capitu. Interna e exteriormente translúcida, Fidélia não esconde nada: desconhece a mentira, a falsidade ou as atitudes dúbias. Não titubeia em confiar ao Conselheiro "várias reminiscências da vida conjugal"; "sem perder a discrição que lhe vai tão bem, [...] abre a alma sem biocos, cheia de confiança que lhe agradeço daqui" (pp. 62, 149). E o confidente, assim como as demais figuras em cena, também mostram abertamente o que são e o que pensam. Nem mesmo o fato de o Conselheiro ter sido diplomata altera as coisas; antes pelo contrário, confessa que se havia aposentado "justamente para crer na sinceridade dos outros" (p. 155): a transparência é comum a toda a gente e a todo o relato, como se a limpidez daquelas vidas não deixasse margem a mistérios ou a razões ocultas. Tudo está à vista, tudo se vem a saber, cedo ou tarde, de forma que a trama se reduz a um fio tênue, sem os conflitos de praxe no romance em voga no tempo, que se vai tecendo linearmente para um fim que se pode adivinhar.

E quando ocorre algum imprevisto, como a ausência de Fidélia e Osório, ambos em visita ao pai doente, o dela na Fazenda Santa-Pia, o dele em Recife, o narrador diz tratar-se de "simetrias inesperadas" (p. 63), como se prefigurassem as "coincidências significativas" de que falava Jung, e que a borboleta preta das *Memórias de Brás Cubas* tão bem representa. A tais simetrias, que Machado mencionaria outras vezes (pp. 104, 158), como sinais de transparência, faz coro o fato de o *Memorial de Aires* ser um retrato da velhice, não só porque Machado o publicou no ano da sua morte, mas porque os figurantes, na sua maioria, são idosos. O Conselheiro orçava pelos 62 anos ao iniciar o seu diário, Aguiar tinha 60 anos, D. Carmo, 50, um conviva presente às bodas de prata do casal ia nos 50 anos, os Campos, Rita, irmã do Conselheiro, os pais do par amoroso, também já andavam, para os padrões do tempo, na terceira idade. Excetuam-se Fidélia e Tristão, mas, se não pertencem ao mundo dos que entravam na senectude, haviam ultrapassado os anos juvenis em que as ilusões ainda fazem parte do patrimônio sentimental. E a sua história, previsível desde o começo, constitui menos o cerne do diário do que um episódio da vida das outras personagens: o *Memorial de Aires* é uma espécie de tratado acerca da velhice.

Não chega a ser propriamente um romance, nem mesmo uma novela, pois este não é o intuito do narrador: "Se eu estivesse a escrever uma novela, riscaria as páginas do dia 12 e do 22 deste mês. Uma novela não permitiria aquela paridade de sucessos. Em ambos esses dias, — que então chamaria capítulos, — encontrei na rua a viúva Noronha", etc. (p. 103). Claro, não se deve tomar ao pé da letra as palavras do Conselheiro, sem modificar substancialmente a natureza do seu relato. Ele próprio chama-nos a atenção para esse cuidado: "Riscaria os dois capítulos, ou os faria mui diversos um do outro; em todo caso, diminuiria a verdade exata, que aqui me parece mais útil que na obra de imaginação" (pp. 103-104). Que se trata de obra de imaginação, não há dúvida alguma, mas aqui a imaginação parece estar a serviço de uma verossimilhança concretizada numa obra que é, com efeito, um diário ou um *memorial*, como lhe chama o Conselheiro. Salvo, evidentemente, se divisarmos nessa estrutura uma forma nada usual de apresentar a matéria romanesca num tempo em que os prosadores eram induzidos a imitar a fotografia.

É, na verdade, um hino à vida conjugal, representada pelo casal Aguiar, que já havia celebrado as bodas de prata, e pelo casamento de Tristão e Fidélia, em começo. Final feliz para todos, ainda que a partida dos filhos postiços para Lisboa, onde Tristão iria ingressar na atividade política, tenha mergulhado os Aguiares em melancolia, apenas esmorecida pelo consolo que lhes trazia "a saudade de si mesmos" (p. 168). O ceticismo schopenhaueriano abre espaço a um otimismo moderado, a fina ironia parece mudada num humor cheio de bonomia, graças ao culto dos valores morais e espirituais, e a uma certa resignação diante do inexorável. O mesmo ocorre com o livro bíblico onde Machado deparara uma das fontes do seu pensamento: "Tudo é fugaz neste mundo", anota o Conselheiro, acrescentando logo a seguir: "Se eu não tivesse os olhos adoentados dava-me a compor outro *Eclesiastes*, à moderna, posto nada deva haver moderno depois daquele livro" (pp. 86-87). E Quincas Borba lhe vem à lembrança quando atribui a um cão que "latisse dentro do [seu] próprio cérebro" o pensamento formulado ao regressar de visita aos Aguiares: "Pois eu terei engolido um cão filósofo, e o mérito do discurso será todo dele" (p. 101). O circuito aberto em 1872 fechava-se num clima de ressurreição, palavra que ocorre ao Desembargador Campos para designar o momento em que a viúva, sobrinha sua, voltara a dedilhar o piano (p. 88).

A própria linguagem sofre visível mudança: temperada pelo sentimento poético que parecia exalar das personagens em cena ou das reflexões e observações do Conselheiro, *alter ego* do autor, a linguagem torna-se ainda mais límpida do que antes, sem os duplos sentidos ou as passagens herméticas que nos habituamos a ver nos outros romances de Machado. E disso até o narrador tem plena consciência: deseja ser claro e direto, a ponto de fechar a observação de que Osório não o vira na rua porque Fidélia lhe "levava arrastados" os olhos "no bonde em que ia", com as seguintes palavras: "Ai, requinte de estilo!" (p. 96). Noutro passo, referindo-se a um cartão postal, anota ele: "Que as asas postais o levem, digo eu aqui neste cantinho de papel, sem advertir no rebuscado da imagem. Advirto agora, e não a risco nem substituo; asas postais servem, uma vez que vão ter à fazenda e não percam o bilhete em caminho" (p. 110). Parece que Machado deixa manifestar-se o seu coração poético — "a boa Carmo [...] tece com o coração" (p. 71), diz ele, como se falasse de si próprio obliquamente, — para ocupar o espaço antes preenchido pela observação ferina de relojoeiro. Exibia, quem sabe, com a discrição de sempre, as marcas deixadas pela saudade de Carolina. Ao fazer um hino às belezas do casamento, talvez relatasse, pelos meios indiretos da ficção, atenuados pela forma do diário, a sua própria vida conjugal. O Conselheiro escreve o seu diário "por via da memória ou da reflexão" (p. 85), emprestando aos seus apontamentos a impressão de apenas rememorarem os fatos, assim como as personagens parecem viver e sustentar-se das memórias dos mortos ou dos ausentes, mais destes que daqueles, pois "a vida tem os seus direitos imprescritíveis; primeiro os vivos e os seus consórcios; os mortos e os seus enterros que esperem" (p. 146).

8. O *Memorial de Aires* ainda pode ser visto como o testamento literário de Machado. Às páginas tantas, em conversa com D. Carmo, a propósito do casamento entre Fidélia e Tristão, até então meio disfarçado, o Conselheiro exclama: "— E andam críticos a contender sobre romantismos e naturalismos!" (p. 156). Tinha em mente, com muita probabilidade, a polêmica entre o Pe. Sena Freitas e Júlio Ribeiro, motivada pelo romance *A Carne*, publicado em 1888, em que a ortodoxia naturalista chegava a exageros próximos da caricatura. Mais do que uma exclamação metafórica suscitada pelo caso amoroso dos filhos postiços de D. Carmo, a referência parece trazer à superfície o fundo doutrinário não só do *Memorial de Aires* como dos outros romances (e contos) machadianos. Exibia uma profissão de fé literária habilmente oculta no modo de encarar a realidade do tempo e na representação que dela Machado fez nas suas narrativas: nem romântico, nem naturalista, eis o seu lema, entendido o primeiro como a adesão à psicologia sentimental que fazia as delícias das leitoras de Macedo e Alencar, e o segundo como a filiação meio cega aos postulados de Taine e Zola. Somente lhe faltaria confessar-se adepto do realismo interior para que a sua declaração se tornasse ainda mais explícita.

Machado situou-se, em realidade, acima das estéticas contemporâneas, alcançando franquear uma época nova para a arte da ficção: pela ênfase na memória, sobretudo a memória involuntária, e na sua descoberta como instrumento narrativo, — como se já lidasse com as categorias filosóficas que Bergson preconizava — antecipa-se, como sabemos, a Proust. As contingências fizeram de Machado um romancista de transição, vivendo num meio provinciano infenso ao gênero de obra que construiu. O conhecimento das literaturas estrangeiras ajudou-o a criar obras-primas do engenho humano, tanto mais valiosas quanto mais nos lembramos das adversidades que enfrentou, mas elas provinham substancialmente das suas raras qualidades como homem e como escritor. Embora tenha alcançado, como romancista ou contista, o nível dos grandes nomes literários do tempo, a sua verdadeira dimensão somente se oferece depois de um longo e persistente contacto. Se a grandeza das obras literárias se mede pela vitória sobre a crítica de sucessivas gerações, Machado não só tem conseguido vencer as resistências que, silenciosamente ou não, lhe têm sido feitas, como também ganhar vulto cada vez maior à medida que o tempo passa.

Notas

1. Machado de Assis, *Helena — Iaiá Garcia*, S. Paulo, Cultrix, 1960, p. 180.
2. Schopenhauer, *Le Monde comme volonté et comme représentation*, trad. de A. Burdeau, Paris, PUF, 1966, p. 180.
3. *Idem, ibidem*, pp. 394, 409.
4. Henri Bergson, *L'Évolution créatrice*, Genève, Ed. Albert Skira, 1945, p. 22; *Durée et simultanéité*, Paris, PUF, 1968, p. 41.
5. Machado de Assis, *Memorial de Aires — O Alienista*, S. Paulo, Cultrix, 1961, pp. 32, 37. As demais referências vão indicadas no texto.

5

Machado de Assis:
Ficção e Utopia

1. É bem provável que o título deste capítulo suscite no leitor, tolhido de perplexidade, o desejo de perguntar: Machado de Assis e a utopia? Um escritor cético e de pés no chão como ele, um realista, observador impenitente do espetáculo humano, sobretudo o da segunda metade do século XIX carioca, que lhe foi dado conhecer durante a sua vida? E a prosa de ficção, relacionada com a utopia e com um romancista com tais características?

Muitas páginas, quem sabe todo um livro, seriam necessárias, por certo, para responder satisfatoriamente a essas indagações. Não sendo o caso, proponho ao leitor que encare estas considerações como um teste, um ensaio, no sentido estrito de tentativa de examinar o binômio que constitui a segunda parte do título, já de si complexo, em relação com um autor de romances que não se diria propriamente um utópico. Se estivesse em causa examinar a obra ficcional dos prosadores enquadrados nessa categoria, como George Orwell e tantos outros, o enfoque teria de ser obrigatoriamente outro, e a tentativa falharia por envolver uma notória filiação, ou seja, teria de restringir-se ao exame das utopias presentes nos seus escritos como um conteúdo que poderia ser expresso sem o auxílio dos andaimes da ficção. O desafio que vamos enfrentar reside em saber e avaliar como a narrativa de um escritor como Machado de Assis pode ser exemplo do caráter utópico da ficção, mesmo quando tudo parece convencer-nos do contrário. Por outras palavras, é a utopia difusa no tecido imaginário que nos interessa examinar.

Parodiando os antigos, e Fernando Pessoa mais recentemente, diríamos que podemos partir da idéia de que "viver não é preciso; criar, nutrir utopias é que é preciso". E a razão disso estaria em que viver sem utopia é a suprema... utopia, uma impossibilidade radical. Eis por que as religiões florescem desde sempre, assim como os seus sucedâneos e desdobramentos, para os lados da política, da ciência, da superstição, da bruxaria, etc. Imperfeito o mundo? Imperfeito o ser humano, como que inadaptado à vida, ao contrário dos animais irracionais? Imperfeitas as instituições humanas? Imperfeita a vida?

A utopia aí está para sustentar essas e outras interrogações no gênero e provocar respostas. Equacionada desse modo a questão, a utopia torna-se, imprevistamente, não o sinal de evasionismo, a escapada para fora do mundo da realidade, como em busca de um narcótico apaziguador existente num não-lugar, situado no mais além do horizonte. Mas, ao contrário, é o sinal da percepção aguda da realidade do mundo: a essa luz, o utopista o é por decorrência de se dar conta de que o mundo é um cenário onde a perfeição ainda não se instalou, ou caso se instalasse, desapareceu na voragem do tempo, e de que o seu diálogo com o mundo leva sempre à frustração. A perfeição não é deste mundo, apregoam as religiões, acenando aos fiéis com a transcendência, o Paraíso ou o Nirvana.

Sim, não é deste mundo, diriam os poetas, os artistas em geral, na esteira de Fernando Pessoa, para quem o "fazer arte é confessar que a vida ou não presta, ou não chega", ou "a literatura, como toda a arte, é uma confissão de que a vida não basta". E também diriam os ficcionistas, os criadores de histórias para entreter e, se possível, para educar, nas quais se aloja o sonho dourado de perfeição, a utopia. Mirando-se no espelho do texto, contemplando os semelhantes transfigurados em personagens, o leitor dá-se conta da imperfeição do mundo e a um só tempo sente-se atraído pela promessa de um mundo melhor aqui na terra. A utopia, agora, não se hospeda fora da realidade concreta, senão no interior do texto literário, como parte intrínseca da sua matéria, tão privilegiado é ele que pode reproduzir o mundo e, ao mesmo tempo, propor-lhe mudanças por meio da tomada de consciência da sua radical imperfeição.

Alguém poderia pôr em causa tal vínculo com base na idéia segundo a qual, se é para que nos apercebamos de que a perfeição não é deste mundo, não bastaria que lêssemos os jornais, ouvíssemos o noticiário falado da televisão, fôssemos ao cinema com regularidade? Não teriam tais meios a vantagem de nos oferecer a realidade concreta diretamente, como ela é, e de uma forma sem nenhuma ambigüidade? Até que a dúvida tem razão de ser, mas por que então continuam a proliferar os desencontros, os crimes, as desigualdades, as imperfeições, sem que se aviste um sinal de mudança, seja inspirado na política, seja na religião, seja na ciência? Não significará que a realidade como nos é mostrada por aqueles meios não nos afeta a ponto de mudar a nossa visão das coisas, na direção duma metamorfose que nos aproximasse dum mínimo de perfeição? Qual o impacto que causa em nós o horror da guerra ou da fome endêmica em alguns lugares do mundo? Muda, por acaso, a nossa maneira de encarar a relação com as gentes e as instituições? Fiquemos por aqui, pois este aspecto da questão nos poderia levar muito longe, para além do terreno em que a colocamos.

Ao contrário daqueles meios de comunicação, o texto literário presenteia o leitor com o alimento da esperança: em vez de o alienar, como alguém poderia apressadamente supor, dá-lhe uma noção da realidade em suas múltiplas facetas, na qual se inclui a utopia. A utopia que mora no cerne da Literatura. O fim da obra literária não é servir apenas de entretenimento, porquanto o seu fim não se acha nela própria, mas na visão da realidade que é captada nas suas malhas. Além de passatempo, o gozo estético que a visão do imaginário proporciona, está-lhe reservada outra função, mais inquietante, como formadora de consciências, — a de ser o lugar onde a utopia se cumpre como realidade palpável. Utopia não como o retorno ao passado, a um tempo e a um lugar de perfeição idílica, visionária, à maneira dos renascentistas ou dos árcades, nem como viagem a um futuro de harmonia universal, à maneira da ficção científica. Mas, sim, a utopia presente nos textos literários, em decorrência da sua mais íntima natureza, da transfiguração da realidade que nela se processa. Campo dos possíveis, como ensinava Aristóteles na sua *Poética*, não dos acontecimentos históricos. Utopia como imanência, que o texto literário detecta no espetáculo do mundo, infundindo-a, por meio dos recursos da fantasia, ao leitor incapaz de a vislumbrar com os próprios olhos.

A obra literária constitui, assim, o espaço onde se exercita a faculdade que arremete o sujeito pensante (o autor ou o leitor) contra o objeto da sua obsessão: em vez de o afastar do seu alvo, a imaginação reenvia-o para a realidade, de modo a estabelecer-se um circuito entre o real assimilado pelos sentidos e o real transmutado pela fantasia. O texto literário configura-se, por isso, como o terreno de eleição onde esse percurso se desenrola e se oferece ao olhar do "outro". Instaurada a equação hipnótica que o texto faculta e promove, as partes envolvidas cedo verificam que adentraram, voluntariamente ou não, por entre as fissuras do tecido verbal, uma espécie de quarta dimensão, — a utopia. Se "a linguagem é a morada do ser", como postulava Heidegger, a ficção literária pode ser considerada a morada da utopia.

2. Nas palavras "Ao Leitor", que servem de pórtico às *Memórias de Brás Cubas*, Machado diz que se trata de uma "obra de finado. Escrevi-a com a pena da galhofa e a tinta da melancolia e não é difícil antever o que poderá sair desse conúbio". E acrescenta que, em razão disso, "a gente grave achará no livro umas aparências de puro romance, ao passo que a gente frívola não achará nele o seu romance usual", ficando assim "privado da estima dos graves e do amor dos frívolos, que são as duas colunas máximas da opinião". E referindo-se aos prefácios em geral, justifica o que vinha de compor, ponderando que "o melhor prólogo é o que contém menos cousas, ou o que as diz de um jeito obscuro e truncado". Aí se encontra, ao que me parece, a chave interpretativa das *Memórias Póstumas de Brás Cubas* e do problema que nos ocupa neste momento.

Ainda no prefácio, continuando aquelas observações, o romancista, entre fino e finório, diz que, "conseguintemente, evito contar o processo extraordinário que empreguei na composição destas *Memórias*, trabalhadas cá no outro mundo". Por que o narrador evita contar-nos o seu processo? Seria porque as *Memórias* foram "trabalhadas cá no outro mundo"? Para início de conversa, o insólito processo (ao menos na aparência) ganha em ser entendido como pura e astuciosa metáfora. Metáfora da volúpia de revolver o passado, que acomete os homens maduros ou no limiar da morte. Ou, antes, metáfora do próprio trabalho de urdir fábulas, inventar conflitos, engendrar vidas possíveis.

Todo ficcionista labora no "outro mundo", que é o da sua imaginação, como se estivesse, enquanto tal, morto para "este mundo". E é "o outro mundo", não o póstumo, senão o entrevisto no relevo ondulante, caótico, impreciso, "deste mundo", que ele nos apresenta como enigma, cujo deslinde nos franqueia a janela para o desconhecido. Neste particular, o narrador assume o papel do leitor, ou este representa o daquele, ambos empenhados em desvelar/ver o mundo que se esquiva à sua fome de certezas, e somente descortinável pelos meios oblíquos da fantasia.

Assim, despistando os leitores pretensiosos ao visionar esse "processo extraordinário", Brás Cubas simplesmente prometia desempenhar, às raias do (aparente) absurdo, a sua natural função de contador de histórias. O ofício póstumo com que preencheria os seus ócios eternos. Se todo ficcionista sempre trabalha no "outro mundo", identificar este com o além-túmulo é apenas uma forma engenhosa e desnorteadora de afirmar a sua condição de criador de universos imaginários, de pararrealidades. Numa palavra, a sua condição de criador/revelador de utopias.

Contudo, o seu "processo extraordinário" não era, na verdade, tão simples assim: as *Memórias* organizam-se dialeticamente, entre o sim e o não, a cara e a coroa, o falso e o verdadeiro, o visível e o ignoto, etc., numa permanente mutação, e não apenas porque se tratasse de um texto literário, por natureza metafórico, polissêmico. Desde as primeiras linhas os acontecimentos se sucedem e as situações obedecem a esse diapasão, não obstante certos episódios, iluminados pelo sol do meio-dia, possam induzir a pensar-se o contrário. Logo no capítulo inaugural, "Óbito do Autor", após o elogio fúnebre proferido pelo amigo do narrador, este comenta: "Não, não me arrependo das vinte apólices que lhe deixei". A referência, que passaria despercebida a uma leitura mais veloz, dado o seu caráter bonachão, oculta um significado que vale a pena observar: de um lado, aí temos a razão (secreta) do elogio, de resto banal e repleto de lugares-comuns ("a natureza parece estar chorando a perda irreparável de um dos mais belos caracteres que têm honrado a Humanidade"), mostrando até que ponto estava eivado de falsidade; de outro, as apólices, supostamente deixadas por amizade em reconhecimento ao "bom e fiel amigo!", eram, na verdade, pura chantagem.

Ainda mal encomendado o morto generoso, "este mundo", marcado pelo signo da dupla, ou antes, universal falsidade, exibe o seu rosto, e assim o fará ao longo de toda a narrativa, como se no velório se anunciasse por inteiro e com toda a força de um imperativo categórico. Por outro lado, o jogo falso entre o orador e o defunto esconde um outro mundo, em que a dubiedade de caráter seria inconcebível, um mundo sem elogios farisaicos à beira da cova e sem subornos de consciências distraídas. Utopia? Indaga o leitor, transido de ansiedade. Utopia, replica o narrador, "situado" além do bem e do mal. Mas dessa utopia nós sabemos por antítese do mundo em que se movem Brás Cubas e o seu bom amigo. Do contrário, diríamos que está correto assim, porque sempre o elogio ao morto dissimula chantagem ou interesse. Em suma, se a ação dos dois não revelasse falsidade, não saberíamos que o seu oposto seria utópico. A utopia é o reverso da falsidade, ou esta daquela, numa equação dialética: somente podemos sonhar com a utopia porque sabemos onde mora e o que é a falsidade, e esta se mostra como tal porque o seu avesso é a utopia.

3. Longo, e não raro repetitivo, seria acompanhar o fluir das recordações de Brás Cubas desde o berço até a sepultura. Contentemo-nos, para os fins deste ensaio, com respigar algumas passagens de mais notória relevância. Às páginas tantas, no capítulo IV, por sinal intitulado "A Idéia Fixa", o narrador informa-nos que o livro onde destila as suas memórias foi "escrito com pachorra, com a pachorra de um homem já desafrontado da brevidade do século", e acrescenta ser "obra supinamente filosófica, de uma filosofia desigual, agora austera, logo brincalhona, cousa que não edifica nem destrói, não inflama nem regela", como a dizer, ironicamente, que somente lhe era possível uma obra de ambíguo realismo porque a escrevera no além.

E por fim, como corolário dessa declaração entre jocosa e grave, onde a sátira se mescla à seriedade forrada de ceticismo, diz que o livro "é todavia mais do que passatempo e menos do que apostolado". Como interpretar esse intervalo entre um propósito e outro senão como evidência de suma gravidade? Ali, como na passagem toda, insinua-se o objetivo ético, dissimulado em galhofa e nuns traços de melancolia, que impulsiona o memorialista, já evidente no fato de escrever do além-túmulo. E tal objetivo — como se depreende do texto — consistiria em pôr à mostra a sua dimensão utópica, como se esta fosse de acesso exclusivo a quem descansa na paz do cemitério, ou seja, a quem, como o ficcionista, se recolhe ao silêncio (tumular) da fantasia para compor os seus enredos de vida e morte. Escrever postumamente é a metáfora da escrita de todo romancista: aqui repousa um sinal do "extraordinário processo" de Brás Cubas, o qual, sendo seu por direito natural, é do ficcionista que descobre no narrador póstumo, ausente, a imagem perfeita para o seu trabalho criativo. Agora, sim, deparara o autêntico narrador onisciente que todo romancista procura, não raro situando-o numa personagem cuja vida chegou à maturidade, à semelhança da retrospecção "em busca do tempo perdido" do Bentinho de *Dom Casmurro* ou de Proust, para se colocar numa posição equivalente.

"Como seria uma sociedade melhor?", é a interrogação que os contemporâneos do autor (e nós com eles) brandiam como um lema e a que responderiam de acordo com as idiossincrasias de cada um. Brás Cubas não nos adianta se tão aflitiva questão se encontra no seu relato, nem fora dele; ao menos, não o faz de modo explícito. Mas não deixa dúvidas de que a registra, embricada no avesso das personagens e dos acontecimentos que as suas memórias vão reconstituindo, já que a sociedade presente no seu relato é por definição imaginária. Daí que negar os valores reinantes no quadro social do tempo, como faziam os seguidores do Naturalismo à Zola, seria um caminho fácil demais para ser trilhado por um ficcionista exigente e arguto como Machado. A grande tarefa, o grande sonho, consistia em perseguir a sociedade melhor deixando que a comunidade à sua volta revelasse o que trazia latente — como utopia. Bastava para isso que o texto das memórias, sendo como é de natureza literária, exercesse integralmente a sua função entre o passatempo e o apostolado: aquele, inspiraria obras digestivas, de puro entretenimento, que logo se esquecem após a leitura; esse, arrastaria ao panfleto. Um e outro, extremando-se, acusariam a falta de ambigüidade semântica peculiar às obras literárias dignas do nome.

À luz dessa distinção, compreende-se por que os autores devotados, ou ao passatempo ou ao apostolado, extraem medíocres frutos do seu labor, constituindo, genericamente, a porção de escritores secundários ou epigonais, comuns a todas as correntes estéticas. E a razão disso está em que neles a utopia se desvaneceu, ou nem chegou a formar-se, seja porque o passatempo implica que o mundo deva continuar como está, seja porque o apostolado, ainda que nutrido de sólidas razões estéticas ou éticas, reduz a utopia a uma receita de fácil deglutição. Não é o caso do autor defunto das *Memórias*, nem de Machado de Assis, ambos voltados, indagativamente, para a fresta entre o entretenimento e o proselitismo.

Um capítulo há, logo à entrada da narrativa, mas correspondente ao tempo de agonia de Brás Cubas, que constitui a síntese simbólica da parelha realidade e utopia. Trata-se de "O Delírio", vivido em presença de Virgília, "o grão pecado da juventude" do narrador. Não sendo o caso de examinar todo o capítulo, mesmo porque é dos mais extensos das *Memórias*, recortemos o diálogo do narrador com a Natureza ou Pandora, no qual a utopia parece largar, sem perda da sua identidade, o subsolo virtual do texto para se refugiar no espaço da realidade sensível.

Pandora diz ao moribundo ter-lhe concedido fartamente, ao longo da vida, o "menos torpe ou menos aflitivo", ou seja, "o alvor do dia, a melancolia da tarde, a quietação da noite, os aspectos da terra, o sono, enfim, o maior benefício das minhas mãos". E arremata, questionando: "Que mais queres tu, sublime idiota?" Se não traduzimos mal a fala da Natureza, pretendia ela dizer que a utopia esteve ao alcance das suas mãos ou do olhar, mas Brás Cubas não o notou: foi preciso que em delírio uma figura mitológica lha indicasse. Agora não havia nada a fazer; era tarde demais.

E para que não restassem dúvidas maiores ao "grande lascivo", Pandora leva-o para o alto de uma montanha, como Tethys fizera com Vasco da Gama na camoniana "Ilha dos Amores", de onde lhe descortina um "acerbo e curioso espetáculo": "Os séculos desfilavam num turbilhão, e, não obstante, porque os olhos do delírio são outros, eu via tudo o que passava diante de mim, — flagelos e delícias, — desde essa cousa que se chama glória até essa outra que se chama miséria, e via o amor multiplicando a miséria, e via a miséria agravando a debilidade". Nesse quadro que ainda se prolonga, via o delirante que todas "as formas várias do mal" — a cobiça, a cólera, a inveja, etc., — "agitavam o homem, como um chocalho, até destruí-lo, como um farrapo. [...] Então o homem, flagelado e rebelde, corria diante da fatalidade das cousas, atrás de uma figura nebulosa e esquiva, feita de retalhos, um retalho de impalpável, outro de improvável, outro de invisível, cosidos todos a ponto precário, com a agulha da imaginação; e essa figura, — nada menos que a quimera da felicidade — ou lhe fugia perpetuamente, ou deixava-se apanhar pela fralda, e o homem a cingia no peito, e então ela ria, como um escárnio, e sumia-se, como uma ilusão". Um tanto longa demais, porém necessária aos nossos propósitos, a transcrição dispensa-nos de maiores comentários, por mostrar com nitidez o pensamento que nela ganha forma.

4. Daí por diante, o narrador põe-se a redigir a sua autobiografia, como se alentado pelo saber aprendido no delírio: a resenha do seu passado a um só tempo exibe e oculta a revelação comunicada no transe alucinatório, de tal modo que nem ele, nem nós podemos prescindir do conhecimento ministrado pela Natureza: ele, para relatar as suas memórias póstumas, nós, para lhe compreender a íntima significação e, talvez, assimilar a doutrina (a utopia) implícita no texto. O delírio, furtando-lhe a razão por momentos, empresta-lhe uma lucidez transcendental, como que mítica, que lhe permite conhecer de perto o que andara demandando em vão por toda a existência. Afinal, não descobrira ele que "os olhos do delírio são outros"?

Desse modo, a momentânea e benfazeja obnubilação da consciência explica, de um lado, a dicotomia que lhe preside as memórias, e, de outro lado, obscurece-as, como pedia "o jeito obscuro e truncado" do prólogo. Quando pouco, visaria a sugerir que a lucidez no rumo da utopia somente nos visita em delírio; ou se atendermos à condição de que é preciso ler as *Memórias* no encalço da camada recoberta pela superfície enganosa e turva dos atos e das coisas. Para Brás Cubas, a utopia descortina-se no texto do delírio; para os leitores, dá-se a conhecer no corpo das suas reminiscências, como o não-dito, ou mesmo o interdito, que se eclipsa por trás ou por dentro do que é dito.

Tudo se passa como se o delírio fosse a condição necessária e suficiente para o ingresso na utopia: em plena luz diurna, e na posse do raciocínio, o que enxergamos é o relevo duplamente enganador do mundo. Primeiro, porque o que parece ser, as mais das vezes não é, e o que é, custa a (a)parecer ou simplesmente não (a)parece. Segundo, porque ele guarda, nas suas dobras e sinuosidades, a realidade ardentemente procurada, — a utopia.

Ao longo da reconstituição do seu "tempo perdido", Brás Cubas vai semeando reflexões e comentários, a par e passo com episódios que acabam por se tornar paradigma da bipolaridade ética da narrativa. Ora assevera que nas suas memórias "só entra a substância da vida", assim alertando para a dimensão da utopia. Ora pondera que colheu "de todas as cousas a fraseologia, a casca, a ornamentação...", reconhecendo o domínio da aparência sobre a sua recôndita matéria. Para em seguida exclamar: "mas, na morte, que diferença! que desabafo! que liberdade!", como se a entrada no além correspondesse à utopia, ou se esta apenas se estampasse naquela e nos seus substitutos ou simulacros, à semelhança do delírio.

Análoga fisionomia ostenta o episódio da borboleta preta que "subitamente penetrou na varanda" da casa de Eugênia, "a flor da moita, [...] coxa de nascença", e reaparece no quarto de Brás Cubas, "tão negra como a outra". O reaparecimento de uma borboleta, e de cor negra, já de si carregada de sentido, fornece-nos um exemplo flagrante da idéia junguiana da sincronicidade. Não bastasse essa coincidência significativa, de alto caráter simbólico, observemos que o herói se lamenta, após esmagar a intrusa: " — Também por que diabo não era ela azul?". Não a destruiria se exibisse tal cor? O mau desfecho da sua presença incômoda (incômoda ou anunciadora?) se deve à negritude? Abolicionista, o herói póstumo? Escravocrata? Ou meramente fatalista, crente da irredutibilidade das condições de cor, raça, etc.? Ou a negritude é também símile simbólico do defeito físico de Eugênia, esse, sim, irremediável? A indagação do narrador, despertando outras, converge para a segunda (ou terceira?) margem do texto, — um mundo de Eugênias autênticas, fazendo jus ao nome, hígidas de corpo e alma, fadadas a outro destino que não o cortiço, ou uma natureza povoada de borboletas azuis, livres de morrer às mãos de seres humanos menos piedosos. Utopia? Utopia.

Se a pulsão utópica se manifesta de modo concreto, posto que indireto, no episódio da borboleta preta, noutro instante emerge como teoria, que, dando a impressão de a explicar, mais e mais lhe desvela o rosto insondável. Quincas Borba, o seu criador, a confiou a Brás Cubas quando ia na mendicância. Posteriormente enlouqueceria, sem abandonar a descoberta filosófica do *Humanitismo*, que lhe facultava, dizia ele, "o gosto de haver enfim apanhado a verdade e a felicidade". Mas que vinha a ser o *Humanitismo*? Num extenso capítulo (CXVII), Quincas Borba expõe o "sistema de filosofia destinado a arruinar todos os demais sistemas", começando por declarar que "Humanitas [...], o princípio das cousas, não é outro senão o mesmo homem repartido por todos os homens". E a seguir ilustra o princípio geral com afirmações do gênero "verdadeiramente há só uma desgraça: é não nascer"; "daí a necessidade de adorar-se a si próprio"; "a inveja é uma virtude"; "a dor [...] é uma pura ilusão". Em suma, sentencia ele mais adiante, "o Humanitismo há de ser também uma religião, a do futuro, a única verdadeira".

Assim resumida a filosofia de um mendigo que vem a ficar louco depois de superar a miséria, seria ela a que subjaz à narrativa memorialística de Brás Cubas, tornando despropositado todo o esforço de a localizar alhures? Ou, ao ver do ficcionista, que se valeria do seu *alter ego* como o seu porta-voz, ela seria, à maneira de todo sistema filosófico, o resultado de uma mente condenada à alienação? Divisado desse prisma, o Humanitismo nem seria utopia nem a conteria no seu bojo: constituiria, isso sim, a sua negação, tanto quanto outro sistema filosófico que pusesse no seu lugar. Machado de Assis zombaria, nesse caso, dos "ismos" filosóficos que por definição se propõem a enfeixar todas as antinomias do real num sistema fechado e completo. Entretanto, ao fazê-lo, por meio de um pedinte que termina perdendo as faculdades mentais, não tencionava ele afirmar que os "ismos" merecem tal reparo porque utopias, senão porque alheios à realidade, brotados que são de intelectos fora de órbita.

Entre o sistema filosófico e a utopia vai o caminho entre a loucura e o vislumbre da existência de um ser humano mais próximo da perfeição encoberto pelo "manto diáfano da fantasia". O primeiro, abstrato por natureza, afrouxa os vínculos com a concretude do mundo, enquanto a ficção literária não só funciona como palco para se denunciar a falácia dos sistemas filosóficos, mas também chama a atenção para a existência, no recesso dos seus estratos profundos, do horizonte de perfeição com que sonha toda a utopia. É certo que nem todas as ficções literárias endossariam o julgamento cruel das *Memórias* ao punir Quincas Borba com a demência, mas é verdade que o extremo rigor machadiano permite deduzir que o lugar da utopia não é o conceito filosófico, seja ele o mais complexo ou o mais generoso. É, sim, a narrativa ficcional, ainda quando a paisagem utópica mal transpareça no magma do enredo.

O confronto com os romancistas do século XIX filiados no geral à vertente realista pode ilustrar com eficácia o assunto em causa. Por mais agudeza que manifestem, seja ele Aluísio Azevedo, seja ele Inglês de Sousa, ou mesmo Raul Pompéia, é inegável a capacidade que Machado de Assis tem de resistir ao chamado "juízo do tempo", e permanecer como o mais acabado modelo de ficcionista das nossas letras. Fosse apenas pelo estilo, e teríamos dificuldade em compreender por que outros prosadores dotados de uma escrita similar não gozam de melhor sorte.

A utopia, entendida como categoria inerente à imaginação literária, é que reúne condições para responder por essa diferença: Aluísio Azevedo, por exemplo, esgotou-se na retratação do panorama social que lhe inunda as narrativas, tendo em mira uma sociedade mais justa, ao passo que Machado a descobria subjacente, incógnita, proteiforme, constituindo fator de encorajamento e estímulo à leitura de ficção.

A diferença residiria, por conseqüência, no grau de utopia: na obra dos realistas ortodoxos ou naturalistas, a utopia define-se como um projeto ideológico de linhas claras e absolutas, arquitetado como tese geometricamente concebida; nos romances machadianos a utopia escapa às preconcepções e aos anseios ideológicos de verdades eternas, manifestando-se como relâmpago em meio às trevas do cotidiano. Ali, a releitura faculta-nos aceder ao *mesmo*, graças a avultar o conhecimento dos traços cenográficos, de superfície, uma vez que o lastro de utopia, estratificado que é, se nos evidencia ao primeiro contato, ou ainda antes dele, como ensinavam Taine e os outros teóricos oitocentistas norteados por idênticos axiomas. Aqui, o retorno aos textos machadianos equivale a um mergulho na utopia, sempre colocada além do nosso alcance, por mais certezas e minúcias que possamos armazenar. Seríamos tentados a dizer que ali a utopia desliza à flor da água; aqui, flutua submersa nas profundezas. E essa *diferença* é tudo.

6

As Coincidências Significativas na Ficção de Machado de Assis

1. No capítulo dedicado ao lastro de utopia que sustenta as *Memórias Póstumas de Brás Cubas* (1881), pude referir-me de passagem ao episódio da borboleta preta, que levanta a questão das coincidências significativas, ou sincronicidade, tomada como uma das manifestações do universo utópico subjacente no romance que inaugura a melhor fase da carreira do autor. Volto agora ao assunto, a ver se é possível descortinar outros sinais da sua presença e, talvez, equacionar-lhe a importância na economia interna daquele romance e de *Quincas Borba*, subseqüente na ordem de publicação, depois de um lapso de dez anos.

Na ficção romântica, geralmente a coincidência não é significativa, pois não desencadeia a transformação das personagens. Ao contrário, estas primam por ser invariáveis, estereotipadas, — *planas*, segundo a conhecida classificação de E. M. Forster —, de modo que o acaso apenas funciona como uma das ocorrências que lhes confirmam o caráter e o temperamento, assim como o seu destino, prefigurado desde o nascimento nas condições específicas de personalidade e de nível social. Assim, o encontro de pessoas dos dois sexos num baile, num sarau, ou num jantar, proporcionado pelo narrador, visa a permitir-lhes a realização do casamento, objetivo último das situações de convívio nesse tipo de narrativa. Mas não implica a sua mudança interior, uma vez que estão definidas desde sempre, condicionadas pela classe social a desempenhar um papel que não pressupõe o acaso modificador. A imobilidade, o conservadorismo da burguesia manifesta-se na imobilidade e no conservadorismo dos seus integrantes, ou seja, das personagens que a representam.

Por mais imprevisto que possa parecer, o romance realista e naturalista ortodoxo, enfeudado no modelo de Zola, é governado por análoga equação, apenas mudando o fator sentimental pelos pressupostos científicos. Um exemplo pode ser-nos fornecido pelo adultério da Luisa de *O Primo Basílio*, ou pela relação entre João Romão e Bertoleza em *O Cortiço*: a coincidência que aproxima os dois casais apenas reitera o que a sua biotipologia já anunciava como determinismo imutável. Nem mesmo o fato de, no romance queirosiano, as personagens pertencerem à mesma classe e, no de Aluísio Azevedo, ser Bertoleza uma mulher de cor, amancebada com um português grosseiro e ambicioso, muda as coisas. Num caso e noutro, trata-se de personagens planas, como bem atesta a sua descrição: assim como no romance romântico, tende a ser direta e completa, e não só nos aspectos físicos.

Diversamente do romance romântico e do realista e naturalista, em Machado de Assis observa-se a coincidência realmente significativa, visto que os figurantes se alteram quando o acaso oferece uma experiência que lhes abala a estrutura, provocando brusca mudança no destino aparentemente traçado até aquele ponto de ruptura. Ou, se algum pormenor ou acidente autoriza que se pense numa antevisão do futuro, é no plano fora do alcance da lógica, estribada na idéia da causalidade, que se há de buscar a sua genealogia. Não raro são personagens *redondas*, descritas com poucos e oblíquos traços, disseminados ao longo da trama, indicando-nos que o seu caráter somente se manifesta no dinamismo das situações que acionam a narrativa.

Além disso, para ser de fato significativa, a mudança deflagrada por um acontecimento há de corresponder a uma modificação interior, a qual, por seu turno, vinha obscuramente sendo processada até que o evento histórico a configurou por inteiro. Assim, um elo de significação conecta o acontecimento e a metamorfose psicológica ou de caráter, como mutuamente determinantes. Ou, nas palavras de Jung, introdutor dessa noção no universo da psicologia analítica, trata-se "de sincronicidade, no sentido especial de coincidência, no tempo, de dois ou vários eventos, sem relação causal mas com o mesmo conteúdo significativo, em contraste com 'sincronismo', cujo significado é apenas o de ocorrência simultânea de dois fenômenos", ou ainda, "*um conteúdo inesperado, que está ligado direta ou indiretamente a um acontecimento objetivo, coincide com o espaço psíquico ordinário*"[1].

2. É o que se observa na ficção de Machado de Assis. Ao conhecer Quincas Borba, Rubião enriquece, pois esse era o seu ardente desejo, mas enlouquece: nele, uma reviravolta mental estava em andamento, aguardando tãosomente a hora exata para detonar e, ao fim, explodir. Estaria ele, de uma forma ou de outra, condenado à insanidade? — interroga, perplexo, o leitor. À luz dos textos, e não perdendo de vista a sua radical polissemia, a resposta positiva se afigura demasiado simplista e deformadora.

Vale recordar que Quincas Borba participa de *Memórias Póstumas de Brás Cubas* e do romance que leva o seu nome: depois de ali nos ter sido apresentado, volta aqui ao palco dos acontecimentos, às vésperas de partir para o outro mundo. Na primeira narrativa, o seu interlocutor é Brás Cubas; na outra, Rubião. O fato de comparecer em duas obras sucessivas, — numa, como figura secundária, porém decisiva, na vida do protagonista; na outra, como um aparente herói (uma vez que empresta o seu nome ao romance, mas este se desenrola entre Rubião e Sofia), — faz pensar em Balzac. A circunstância, entretanto, pede uma explicação, que podemos encontrar no arcabouço das duas narrativas. Constitui, na verdade, um detalhe que não pode passar despercebido sem comprometer a correta interpretação das duas obras e, por extensão, de Machado de Assis na totalidade da sua produção.

Presente como um anjo exterminador, tanto mais influente quanto mais se esconde no anonimato, na loucura e no cão que lhe ostenta o nome, Quincas Borba torna-se indispensável na trajetória de Rubião, como fora na de Brás Cubas. É que, sem ele e sem a sua teoria do Humanitismo, torna-se difícil compreender a reconstituição póstuma que Brás Cubas faz da sua existência. E sem ele, a vesânia de Rubião ficaria adiada para sempre, camuflada ou truncada, como se o herdeiro de Quincas Borba fosse portador de um desígnio mítico que não se cumpriu. Imaginá-lo, porém, significa aceitar como verdadeiro o oposto do que os textos nos mostram.

E o que eles evidenciam é que Quincas Borba marcou indelevelmente as memórias de Brás Cubas, como uma espécie de ente sobrenatural vivo. E o encontro com o mendigo-filósofo trouxe a Rubião a riqueza ambicionada e, com ela, a loucura, decerto latente, ambas indissociáveis, como se o narrador quisesse denunciar, por meio da alegoria, que o acúmulo de bens materiais arrasta à demência, e esta apenas acomete os que a perseguem, ou são perseguidos por ela. Esta a tese que, ao final de contas, preside o díptico formado por *Memórias Póstumas de Brás Cubas* e *Quincas Borba*.

Os dois romances são complementares, como revela o fato de a personagem Quincas Borba transitar de um para o outro. E ambos integrariam uma possível trilogia que não ficou totalmente no tinteiro. No "prólogo da 3ª edição" de *Quincas Borba*, diz Machado que "um amigo e confrade ilustre tem teimado comigo para que dê a este livro o seguimento de outro", e transcreve-lhe a sugestão: "Com as *Memórias Póstumas de Brás Cubas*, donde este proveio, fará você uma trilogia, e a Sofia de *Quincas Borba* ocupará exclusivamente a terceira parte". E em resposta ao amigo, o romancista declara, como sempre despistando o leitor com o uso de meias palavras, meias verdades ou finas ironias: "Algum tempo cuidei que podia ser, mas relendo agora estas páginas concluo que não. Sofia está aqui toda. Continuá-la seria repeti-la, e acaso repetir o mesmo seria pecado".

Acontece que, por alguma ignota razão, quem sabe vinculada à sutil arte de narrar que vinha desenvolvendo, Machado não queria que se pensasse de outro modo. Contudo, *Dom Casmurro*, que se publicaria em 1899, logo depois de *Quincas Borba*, pode ser tomado como fecho da trilogia, ainda que empregando o recurso do avesso ou a imagem em espelho côncavo. Vejamos como: Rubião é, por seu donjuanismo, um Escobar, somente que malogrado; Sofia é o retrato inacabado de Capitu, ou o seu reverso, na medida em que, tendo as mesmas características de personalidade, ao menos de forma embrionária, não chega a praticar o adultério, limitando-se a um jogo de coqueteria sem conseqüências, movido por interesses imediatos, que faz pensar nos primeiros anos da menina dissimulada de Matacavalos, — mas as duas são fruto de idêntico molde. E Cristiano, marido de Sofia, é, pelo nome, um Bentinho, e pelo caráter, o seu inverso, graças à esperteza maquiavélica, que falta ao outro.

Por outro lado, o título de *Quincas Borba* levaria a pensar, erroneamente, que o criador do Humanitismo é o seu protagonista central; na verdade, o entrecho focaliza um falso triângulo amoroso, composto de Sofia, Rubião e Palha, ou de Sofia, o marido e Carlos Maria. Tampouco o cão Quincas Borba poderia ser o fulcro da narrativa, pelas mesmas razões, enfatizadas, que impediam o seu primitivo dono de conduzir o enredo, — sem mencionar a sua condição de animal irracional.

Todavia, o título poderia ser outro que não *Quincas Borba?* — indagaria o leitor, ainda e sempre imerso em dúvidas. Antes dele, o romancista apressara-se a colocar tal questão, não para esclarecer senão para adensar o mistério: mostrava-lhe, assim, que estava cônscio disso e de muito mais, na seqüência do diálogo que travava com ele, e tendo em mira espicaçar-lhe a curiosidade. No último capítulo, como se sabe, demora-se em narrar o fim do cão, e pondera, reportando-se à circunstância de o animal carregar o nome do seu defunto patrão, por sua vez empregado no título do romance: "é provável que me perguntes se ele, se o defunto homônimo é que dá título ao livro, e por que antes um que outro, — questão prenhe de questões, que nos levariam longe..."[2].

Dúbias e culminando em reticências impregnadas de sentidos ocultos (como a prenhez de questões...), tais considerações sugerem que o autor sabia perfeitamente dos motivos pelos quais o título da obra é *Quincas Borba*, permitindo acreditar que não é por acaso, nem por motivos de ordem inferior, que o faz.

Ademais, o exame dos romances articulados em dupla, como vasos comunicantes, induz-nos a pensar numa resposta negativa àquela indagação, mesmo porque Machado, sempre cioso da semântica de cada palavra e de cada metáfora, não procederia desse modo sem uma razão maior, de preferência enigmática. E tal razão estaria precisamente em que o mendigo-filósofo, apesar de morto, é quem movimenta os cordelinhos que impulsionam a narrativa.

Primeiro, porque a sua herança é que promove a ascensão social e econômica de Rubião e, por tabela, de Palha e Sofia, com todos os resultados que conhecemos. Segundo, a sua insanidade, cujo derradeiro lance consistiu em dar o seu nome a um cachorro, torna-se igualmente legado de Rubião. A coincidência significativa que os uniu acabou por lhes conceder o mesmo destino, ou, se se quiser, a coincidência significativa que os aproximou, vinha de um nexo secreto que os identificou para além de toda contingência. Desse ângulo, Rubião é uma espécie de metempsicose de Quincas Borba, assim como o cão lhe herdou o apelativo, e não mais, pois seria inverossímil que lhe recebesse os outros bens. Rubião seria, desse prisma, o Quincas Borba redivivo.

Num caso e noutro, portanto, é a personagem de *Memórias Póstumas de Brás Cubas* quem comanda a fabulação, como se de um demiurgo se tratasse, ora por meio da sua herança, ora pela "reencarnação" em Rubião. Nessas paragens que beiram o esoterismo, é lícito supor que mais uma vez o autor de *Dom Casmurro* emprega a alegoria para assinalar a falta de livre-arbítrio que, no seu entender, nortearia a existência humana. A loucura de Rubião, reeditando a insânia de Quincas Borba, seria um sinal da imperiosa fatalidade, isto é, do poder do segundo sobre o primeiro, cuja "fraqueza" se manifesta na passividade com que se deixa manipular e explorar por Sofia e Cristiano, seja no terreno do amor, seja em questões financeiras.

3. Além disso, se o Humanitismo é o que é, — uma esdrúxula salada filosófica, delirante e destemperada, — para concretizá-lo somente homens como Quincas Borba e Rubião, crédulos, ingênuos, fadados à loucura, que acaba sendo confundida com bom caráter, honestidade, etc. Ou, relembrando as qualidades que tornaram perfeito o médico Simão Bacamarte de *O Alienista*, com "a sagacidade, a paciência, a perseverança, a tolerância, a veracidade, o vigor moral, a lealdade, todas as qualidades enfim que podem formar um acabado mentecapto"[3].

Dessa perspectiva, o Humanitismo seria sinônimo de demência: acreditar cegamente em tal filosofia, ou em outra qualquer, como única e definitiva, seria revelar tendência para o desvario. Nesse particular, pode-se dizer que Machado pretendia alvejar especialmente o Positivismo em moda no seu tempo, ou, "em verdade, criticar e satirizar a filosofia em geral, na qual acreditava tanto como na religião"[4]. O homem é um animal incurável, parece dizer o narrador pela boca, ou antes, pela ação, de Quincas Borba e de Rubião. É inexoravelmente torpe, concluiria em segredo o ficcionista, de forma que a loucura consistiria num prêmio irônico àqueles que pretendem curar-se da sua trágica condição ou chegam a alcançar o seu objetivo mais febrilmente perseguido.

Mais uma vez a plurissignificação machadiana exibe toda a sua força. Cético, já o sabemos desde há muito. Utópico, acreditamos tê-lo mostrado em outro capítulo deste livro, talvez como nenhum outro antes dele em nossas letras, tanto mais utópico quanto mais lançava mão da loucura como símbolo da utopia: um mundo onde não houvesse Palhas, Sofias, etc., seria um paraíso de Rubiões e Quincas Borbas; o espaço utópico equivaleria ao universo dos insanos, sonhadores, etc.

Utopia e insanidade, neste caso, constituem sinônimos ou uma parelha interagente: sonhar com aquela é mergulhar nessa. O melhor dos mundos, com que se alimentava a fantasia do herói voltairiano, seria habitado por loucos e visionários, parece dizer o narrador/autor quando oferta batatas aos vencedores ou quando o alienista de Itaguaí, após lotar a Casa Verde, como se nela entrevisse a morada da esperança, nela se refugia, libertando todos os que haviam sido declarados insanos. Doente era ele, isso sim, pensaria ao fim e ao cabo o médico ilustre, por julgar que pudesse redimir o homem, alheando-o dos seus semelhantes, no momento em que o seu mal atingia o pólo extremo. Enfermos, dignos da casa de Orates, são os que fantasiam utopias salvadoras para o ser humano, termina ele por saber ao final da história. Assim como Rubião, que perdera a pouco e pouco o uso da razão, se despoja de todos os seus haveres, preparando-se para ingressar na sua Casa Verde, tornada desse modo hospedaria de utópicos e visionários.

Quincas Borba seria, a essa luz, o exemplo acabado do Humanitismo: Rubião encarna, realiza, pratica a filosofia, e fica louco, na esteira do mendigo-filósofo, enquanto os demais — desde Sofia até Maria Benedita — formam o grupo dos vitoriosos, os vencedores, que se apoderam das batatas. Não estranha que *Quincas Borba* constitua a ilustração, desenhada pelo traço invisível do mendigo sonhador, da sua tese acerca da Humanidade: vale a pena "uma das tribos exterminar a outra e recolher os despojos", ou seja, entrar em guerra total por causa de um campo de batatas?

Mas enunciar a pergunta — sussurra o narrador —, é já vislumbrar a utopia, ou a insanidade, para onde se encaminhariam, numa peregrinação sem regresso, Quincas Borba e o seu herdeiro, "bolhas transitórias" que são, no dizer machadiano, como todos os seres humanos, inextricavelmente enlaçados, no seu destino comum, por (misteriosas) coincidências significativas.

Notas

1. Carl Jung, *Sincronicidade*, trad. bras., 3ª ed., Petrópolis, Vozes, 1988, pp. 19, 22-23.
2. Machado de Assis, *Quincas Borba*, 5ª ed., S. Paulo, Cultrix, 1968, p. 229.
3. *Idem, Memorial de Aires — O Alienista*, 4ª ed., S. Paulo, Cultrix, 1968, p. 234.
4. A. Fonseca Pimentel, *Machado de Assis e Outros Estudos*, Rio de Janeiro, Pongetti, 1962, p. 24.

7

Capitu: Esfinge e Narciso

1. Dentre as figuras da literatura brasileira que mais têm chamado a atenção da crítica, graças à complexidade do seu caráter, ressalta a de Capitu, protagonista, como se sabe, de *Dom Casmurro*. O romance tem merecido, desde sempre, especial tratamento interpretativo, mercê da sua intrínseca densidade, apoiada numa exemplar estrutura narrativa, de que resulta a idéia de ser a obra-prima do autor e uma das mais altas criações da ficção brasileira de todos os tempos. E a heroína, causa e efeito desse interesse permanente pela obra, também tem sido objeto constante de análises, não raro pecando por falta de serenidade, decerto em razão do próprio contorno polêmico do romance.

Muita tinta já se derramou no exame da tragédia carioca de Bentinho e Capitu, as mais das vezes convergindo para a existência ou não do adultério que provoca a separação do casal. E quando não é o núcleo da trama em que se enredam as personagens, agravada pelo fato de a história ser-nos apresentada por um narrador não confiável, uma vez que protagonista — é Capitu o alvo da atenção. Ao fim de contas, a tragédia gira em torno da sua enigmática personalidade: ao focalizar aquela, acabamos fatalmente resvalando para esta, tão inextricável é o laço que as prende.

O presente capítulo visa a retomar o mesmo filão, investigando o problema de Capitu de uma perspectiva que, se não responde à dúvida atroz levantada pelos leitores e críticos — houve ou não traição? —, deseja, ao menos, lançar alguma luz sobre o enigma proposto pela personagem. Seja dito uma vez mais que a questão do adultério é, em si, irrelevante: tenha havido ou não adultério, nada muda na substância do romance e no caráter dos intervenientes na ação.

2. Quando Capitu nos é apresentada, andava ela pelos catorze anos. Dali para o casamento com Bentinho, o nascimento de Ezequiel, que seria o pomo da discórdia do casal, o ciúme do marido, até a sua morte na Europa, vamos conhecendo a sua trajetória de mulher com "olhos de cigana oblíqua e dissimulada", no dizer do agregado José Dias[1]. O enigma levantado pelo seu caráter e comportamento cedo se instala: desde a primeira aparição, dá margem a suspeitas, tantos são os mistérios com que envolve a sua conduta. O seu retrato físico, os gestos, as falas, tudo parece fazer coro com a ambigüidade caracterológica.

Por dentro e por fora, Capitu é um enigma, para o amigo de infância, depois marido, e para nós, espectadores do drama. Começa por despistá-lo com as suas idas e vindas, as manhas e artimanhas, o cálculo posto na voz, nos movimentos do corpo, na escolha das palavras, na oferta imediatamente seguida de recusa de si mesma. Por fim, despista a todos os leitores da tragédia que protagonizou: como caracterizá-la? como defini-la? onde se localiza o seu "eu"? quando é que é sincera? quando se deixa realmente ver na intimidade, franqueando-nos o âmago da sua individualidade? Longe nos levaria qualquer tentativa de ingressar numa dessas questões. Satisfaça-nos observar que Bentinho, ao evocar, na velhice solitária e casmurra, a tragédia da sua existência, parece dar-se conta dos ardis da amiga de infância, mas sem atinar com a razão profunda, nem mesmo com a personalidade que se ocultava por trás deles. Em certo momento, relembra ele que Capitu "aos catorze anos, tinha já idéias atrevidas, muito menos que outras que lhe vieram depois; mas eram só atrevidas em si, na prática faziam-se hábeis, sinuosas, surdas, e alcançavam o fim proposto, não de salto, mas aos saltinhos". E finaliza lucidamente a sua reminiscência, mas sem atingir o cerne da questão: "Suponde uma concepção grande executada por meios pequenos" (p. 50).

Aqui reside, a meu ver, o fulcro do mistério de Capitu: por que oblíqua e dissimulada? Por que maquiavélica desde a puberdade, como que dotada de um saber inato para o controle das pessoas e das situações, orientada por um plano diabólico, arquitetado nas profundas do inconsciente e praticado com todo o rigor dum silogismo ou duma equação matemática? Por que a dissimulação lhe é tão congenial? Por que mente com tal aparente inocência, com tal espontaneidade, a ponto de embaraçar Bentinho e enganar o leitor?

A resposta a tais dúvidas, que poderia também esclarecer o adultério, estaria em que Capitu sofre do mal de Narciso. No mito grego, o jovem Narciso enamora-se da própria imagem refletida na água da fonte, e, acreditando ser o rosto de uma náiade, acaba por atirar-se na água à sua procura, e assim encontra a morte. A heroína de *Dom Casmurro* revive o mito de Narciso: ama-se a si mesma acima de todas as coisas e a mais ninguém, nem a Bentinho, nem a Escobar, nem a Ezequiel, fruto da provável ligação com o amigo do marido. Em termos freudianos, a sua libido está voltada para si própria, como nas crianças, e não para o "outro". E o seu comportamento bem como o seu psiquismo seguem o figurino do narcisista, conforme a descrição corrente da Psicologia. Um especialista na matéria define, em palavras sumárias, o perfil do narcisista, que se adapta perfeitamente a Capitu:

"O narcisismo descreve uma condição psicológica e uma condição cultural. Em nível individual, indica uma perturbação da personalidade caracterizada por um investimento exagerado na imagem da própria pessoa e à custa do *self*. Os narcisistas estão mais preocupados com o modo como se apresentam do que com o que sentem. De fato, eles negam quaisquer sentimentos que contradigam a imagem que procuram apresentar. Agindo sem sentimento, tendem a ser sedutores e ardilosos, empenhando-se na obtenção de poder e de controle. São egoístas, concentrados em seus próprios interesses, mas carentes dos verdadeiros valores do *self* — notadamente, auto-expressão, serenidade e dignidade e integridade. Aos narcisistas falta um sentimento do *self* derivado de sensações corporais. Sem um sólido sentimento do *self*, vivem a vida como algo vazio e destituído de significado. É um estado de desolação"[2].

À notícia de que Bentinho se destinaria ao sacerdócio, Capitu reage inicialmente como quem sente, ou seja, "faz-se cor de cera". Mas, sem intervalo, recobrando o ânimo perdido por momentos (note-se que tem catorze anos), "recolheu os olhos, meteu-os em si e deixou-se estar com as pupilas vagas e surdas, a boca entreaberta, toda parada". E às promessas do amigo de infância, responde com "uma figura de pau", para imediatamente passar a agredir a mãe de Bentinho, a ponto de intimidar o menino com o seu cerrar de dentes e o abanar da cabeça. A seguir, "quando tornou a falar, tinha mudado; não era ainda a Capitu do costume, mas quase. Estava séria, sem aflição, falava baixo" (pp. 47, 48).

A conversa ainda se espraiará, no mesmo diapasão, por todo o capítulo XVIII, significativamente intitulado "Um Plano", e um dos mais extensos do romance, servindo como uma espécie de flagrante psicológico da personagem. Flagrante duma narcisista, que articula manhosamente um estratagema para que Bentinho escape ao seminário. A sua voz é de mando, as suas palavras, de ordem. Preocupa-a não o amigo, senão realizar os seus desejos ocultos e, quem sabe, inconscientes, de dominar completamente a vida de Bentinho. Que sentimentos lhe guiam os passos? Interessa-lhe seduzir, ardilosamente, tendo em vista o poder e o controle de Bentinho e, por seu intermédio, de todos os demais à sua volta. Como todo narcisista.

Egocêntrica, como todo narcisista. Doente do amor a si própria, incapaz de se doar, de vivenciar um sentimento do *self*, como todo narcisista. Anticristã, como todo narcisista.

Não lhe bastaria, é óbvio, que sofresse da inflação do "eu", por ser uma distorção psicológica mais difundida do que parece: "em nível cultural, o narcisismo pode ser considerado como perda de valores humanos — uma ausência de interesse pelo meio ambiente, pela qualidade de vida, pelos seres humanos seus semelhantes"; quando "a própria cultura sobrevaloriza a 'imagem' [...] deve ser considerada narcisista"[3]. Como se soubesse, de um saber instintivo, que o narcisismo não lhe bastava, Capitu resolve emoldurá-lo duma aura de Esfinge. Misteriosa, indecifrável, é uma devoradora por excelência: morreu sem encontrar jamais alguém que lhe desvendasse o enigma. Todos ao seu redor acabam por lhe fazer as vontades, arrastados pela sua força magnética e onipotente. Mesmo o exílio europeu, a que fora condenada pelo marido ciumento, serviu-lhe aos desígnios, cercado que ficou de grande mistério. Ocorrendo fora dos nossos olhos, bem como longe do narrador, permite-nos imaginar livremente o que foram os seus últimos anos de vida, mas sem desfazer, antes pelo contrário, o enigma que lhe circundava a figura. Se os leitores sabiam pouco do seu insondável caráter, agora é que o desconhecimento alcança o extremo, dando-lhes a sensação de que também foram devorados, e, se não foram, serão devorados pela esfíngica criatura.

Pelo menos, assim a vê Bentinho, narrador que é da história da sua vida com Capitu. E nós, leitores, não temos como divisá-la de modo diverso, fiados que devemos ser à visão, *única*, que nos é oferecida. Se, porventura, recusássemos a imagem que dela nos transmite o narrador, tangidos pela idéia de este não ser confiável, segundo a conhecida classificação de Wayne Booth, todo o romance desmoronaria. Podemos pôr em causa a "veracidade" das lembranças de Bentinho em casos pontuais, mas não podemos negar toda a rememoração do seu passado, sob pena de não termos como aceitar as informações que nos são fornecidas.

Mesmo porque não é pertinente do ângulo crítico afirmar que apenas as notações relativas a Capitu merecem desconfiança. Por que apenas elas? E por que não as referentes às outras personagens? Seria o seu caso simplesmente o de um ciumento, à Otelo, como Edith Caldwell tão bem assinalou? Pode bem ser, como de resto o próprio Machado o insinua expressamente ao intitular o capítulo CXXXV com o nome do mouro de Veneza, mas isso não altera os fatos que nos são apresentados. Do contrário, teríamos de rejeitar o romance como falso, inverossímil, não por ser produto da imaginação, mas por comprometer as leis da harmonia interna, que fazem dele uma obra de arte ficcional. Ora, as leis são obedecidas, tanto que os críticos reconhecem a ausência de falhas nesse aspecto. Assim, podemos encarar a narrativa como se se tratasse de uma pseudoprimeira pessoa que estivesse no seu comando, da mesma forma que um romance não é mais coerente por ser narrado na terceira pessoa. De qualquer modo, Capitu é mostrada ao leitor como uma personalidade narcisista, a um passo da patologia. Pelos dados fornecidos por Bentinho, é uma narcisista acabada.

Ânsia de poder, culto do parecer em detrimento do ser, tudo isso, que caracteriza o narcisismo, nota-se em Capitu. As suas curiosidades, no capítulo de igual título (XXXI), dizem-no claramente. Queria estudar latim, cobiçava o velho piano da casa de Bentinho, "lia os nossos romances, folheava os nossos livros de gravuras, querendo saber das ruínas, das pessoas, das campanhas, o nome, a história, o lugar [...]. A pérola de César acendia os olhos de Capitu. [...] tudo era matéria de curiosidades de Capitu, mobílias antigas, alfaias velhas, costumes, notícias de Itaguaí, a infância e a mocidade de minha mãe, um dito aqui, uma lembrança dali, um adágio dacolá..." (pp. 67, 68).

Cercar-se de coisas para compor a imagem narcisista, e inculcá-la aos circunstantes, na mesma linha psicológica, constituem marcas indeléveis do temperamento de Capitu. O seu olhar, dotado de "uma expressão especial", como em todo protótipo de narcisista[4], "trazia não sei que fluido misterioso e enérgico, uma força que arrastava para dentro, como a vaga que se retira da praia nos dias de ressaca". Assim se justificava a observação de José Dias acerca dos famosos olhos de ressaca. E sem o querer apontava a sedução, premeditada, exercida sobre o interlocutor. E este, na seqüência das suas reflexões, refere-se à cabeça da amiga de infância como "a de uma ninfa", o que, embora forçando a nota, nos remeteria novamente para o mito de Narciso (pp. 70, 71).

Buscando apossar-se de coisas, pessoas, informações que lhe servissem aos propósitos mais íntimos, e com vistas a delinear uma figura capaz de seduzir e impressionar, Capitu ainda é a própria dissimulação[5]. Tratar-se-á de uma tendência inerente à psicologia feminina? Se não for, será ao menos inerente ao narcisista, que esconde a sua vera efígie, o seu *self*, sob a máscara dum rosto submisso à vontade. Ou mesmo dum rosto coberto por tantas máscaras quantas as necessidades exigidas pelo seu intento de dominar e manipular as pessoas e as situações. Um exemplo é suficiente para recordar aos leitores de *Dom Casmurro* a dissimulação característica de Capitu. Apanhada em flagrante delito (?),

"Capitu compôs-se depressa, tão depressa que, quando a mãe apontou à porta, ela abanava a cabeça e ria. Nenhum laivo amarelo, nenhuma contração de acanhamento, um riso espontâneo e claro que ela explicou por estas palavras alegres:

" — Mamãe, olhe como este senhor cabeleireiro me penteou; pediu-me para acabar o penteado, e fez isto. Veja que tranças!"

Em análoga situação, no capítulo XXXVIII, Capitu inspira ao narrador outra observação, que possui tudo para caracterizar uma psicologia narcisista, sobretudo pelo fato de que "a tendência para mentir sem escrúpulo, de espécie alguma, é típica dos narcisistas"[6]:

"Capitu não se dominava só em presença da mãe; o pai não lhe meteu mais medo. No meio de uma situação que me atava a língua, usava da palavra com a maior ingenuidade deste mundo. A minha permissão é que o coração não lhe batia mais nem menos" (pp. 72, 79).

Como se recordam os leitores de *Dom Casmurro*, Ezequiel, o filho do casal, é o motivo da mórbida desconfiança de Bentinho e a razão da posterior manobra para se ver livre da mulher. Muito antes dos fatos centrais da tragédia, quando o protagonista se preparava para entrar no seminário, os dois adolescentes travam uma conversa decisiva para o retrato de Capitu que as palavras do narrador nos facultam esboçar. A personagem arremata o capítulo XLIV e a conversa, dolorosa para o amigo de infância, com as seguintes palavras — "Olhe, prometo outra cousa; prometo que há de batizar o meu primeiro filho." — que desencadeiam no Bentinho adulto, feito já D. Casmurro, recordações de fina lucidez:

"Falou do primeiro filho, como se fosse a primeira boneca. [...] Aquela ameaça de um primeiro filho, o primeiro filho de Capitu, o casamento dela com outro, portanto, a separação absoluta, a perda, a aniquilação, tudo isso produzia um tal efeito, que não achei palavra nem gesto; fiquei estúpido. Capitu sorria; eu via o primeiro filho brincando no chão..." (p. 91).

É patente, como se observa, o intuito de ferir a sensibilidade de Bentinho. Capitu procede com egolátrica frieza, sabendo que tocava fundo no companheiro querido. Narcisista, maquiavélico, de pouco respeito pelo próximo, o seu gesto destina-se a colher benefícios pessoais de poder e domínio e, acima de tudo, a preservação da imagem. E Capitu age desse modo com todos, inclusive, ou predominantemente, com a mãe de Bentinho (capítulos L e LXXXIX). Dissimulada, como evidenciam tantos pormenores que a memória de Bentinho vai aos poucos resgatando do esquecimento, Capitu cresce, em autoconfiança, enquanto o companheiro persevera na ingenuidade.

Em plena lua-de-mel, Capitu "estava um tanto impaciente por descer", isto é, voltar ao Rio de Janeiro. "Para ver papai", diz ela, deixando sutilmente à mostra uma ligação edipiana talvez não resolvida, ou do tipo descrito por Alexander Lowen como indicativo do perfil narcisista. Na verdade, segundo Bentinho "a causa da impaciência de Capitu eram os sinais exteriores do novo estado". Puro narcisismo, diria ele, se tivesse bem abertos os olhos da percepção, capazes de ver o mais além das aparências. Piano, aprendera ela a tocar "depois de casada, e depressa, e daí a pouco tocava nas casas de amizade. [...] De dançar gostava, e enfeitava-se com amor quando ia a um baile; os braços é que..." — gostava de exibi-los, narcisistamente (pp. 164, 167). Nela há, igualmente, certa volúpia em posar de estátua, que denuncia, de acordo com o mesmo psicólogo, um traço narcisista.

Até que se dá o episódio das libras esterlinas, nas quais Capitu convertera as suas economias, servindo-se de Escobar como de um corretor, que, por sinal, estivera em casa deles, minutos antes de Bentinho chegar. Aqui, o primeiro anúncio do adultério. Não é isso, porém, que está em causa, embora haja um vínculo entre o adultério e o narcisismo. Está, sim, em evidência a imagem narcisista de Capitu. Vaidosa, já o sabemos, vaidosa da sua figura — "gostava de ser vista" —, agora vaidosa de ser mulher econômica (com isso encobrindo o delito amoroso com Escobar). Instaurado o clima propício ao ciúme,

"dali por diante foi cada vez mais doce comigo; não me ia esperar à janela, para não espertar-me ciúmes, mas quando eu subia, via no alto da escada, entre as grades da cancela, a cara deliciosa da minha amiga e esposa, risonha como toda a nossa infância" (pp. 178, 181).

Tanta referência ao caráter de Capitu pode fatigar, pois não há como evitar a repetição, que é antes de tudo da personagem, mas penso ser necessária para enfatizar que a heroína tinha sido sempre, e foi até o fim, uma narcisista, que amou a si própria acima de todas as coisas, extremamente ciosa que era da sua interioridade, e destinada ao malogro como ser humano.

O único momento em que Capitu parece trair-se, dando mostras da verdade recôndita dos fatos, foi durante o velório de Escobar, quando "olhou alguns instantes para o cadáver tão fixa, tão apaixonadamente fixa, que não admira lhe saltassem algumas lágrimas poucas e caladas...". Chorava o morto ou a si própria? Como de hábito, diria o leitor cético, o sobrevivente lamenta não o morto mas a sua desolação, a sua perda; aqui, porém, o fato ganha sentido especial por estarmos ante um ser marcado pelo autocontrole. Choraria o pai do seu filho? Com muita probabilidade, a resposta é afirmativa. Lamentaria, digamos, a sua "viuvez", o golpe no seu *ego*, a perda de um bem que lhe pertencia, expressão grandiloqüente do seu domínio sobre as pessoas e as circunstâncias. Trai-se, assim, duplamente: primeiro, ao manifestar pelo defunto algo mais do que um sentimento fraternal; segundo, ao revelar a egolatria camuflada no gesto de solidariedade que dirige à esposa do falecido:

"Só Capitu, amparando a viúva, parecia vencer-se a si mesma. Consolava a outra. Queria arrancá-la dali. [...] Momento houve em que os olhos de Capitu fitaram o defunto, quais os da viúva, sem o pranto nem palavras desta, mas grandes e abertos, como a vaga do mar lá fora, como se quisesse tragar também o nadador da manhã" (p. 190).

Passado algum tempo, surpreendemos a heroína em outra cena memorável, denunciadora do seu tipo esfíngico e narcisista:

"Ao passar pelo espelho, concertou os cabelos tão demoradamente que pareceria afetação, se não soubéssemos que ela era muito amiga de si. Quando tornou trazia os olhos vermelhos; disse-nos que, ao mirar o filho dormindo, pensara na filhinha de Sancha, e na aflição da viúva" (p. 194).

O maquiavelismo de Capitu mantém-se até o desenlace, decerto motivado pela necessidade de sustentar a auto-imagem, afinal marca registrada do narcisista. A máscara não lhe desgruda do rosto; antes, vai aderindo progressivamente, como uma segunda natureza que superasse a original, ou antes, como se em verdade fosse inata. Lembremos que, transcorridos alguns anos da viagem à Europa, Capitu morre. E, um dia, Ezequiel, que lhe fizera companhia no desterro, visita Bentinho e transmite-lhe as ausências amistosas da mãe a seu respeito:

"A mãe falava muito em mim, louvando-me extraordinariamente, como o homem mais puro do mundo, o mais digno de ser querido" (p. 212).

Sincera? Pode ser que falasse a verdade do coração, ou melhor, da consciência (uma vez que esta é a fonte da admiração, ao passo que aquele é a morada do afeto), reconhecendo que atraiçoara "o homem mais puro do mundo". Pode ser, no entanto, que simplesmente procurasse conservar a boa imagem junto ao filho: com estudo e cálculo, fazia recair sobre si as palavras para identificar o marido. Quem poderia recriminar uma mulher que se refere tão bem ao marido, mesmo depois de repudiada? Quem poderia julgar mal dela? Quem não descortinaria nela um espírito superior, nobre, tão puro quanto o marido?

Bentinho termina o seu calvário proustiano conclamando o leitor a rememorar com ele que "a Capitu da Praia da Glória já estava dentro da de Matacavalos [...], uma dentro da outra, como a fruta dentro da casca" (p. 215). Trazia, desde o nascimento, "os olhos de ressaca", de "cigana oblíqua e dissimulada". Ao apontar-lhe a coerência da forma e do conteúdo, o narrador talvez se desse conta do vigoroso e inalterável psiquismo da sua amiga de infância: ela fora, desde as primeiras horas, uma personalidade definida, que praticamente não evoluiu senão para se mostrar idêntica a si própria, madura, desde o ventre materno, no seu arcabouço e nos seus propósitos mais secretos. Em suma, um ser que se comportava como se estivesse permanentemente ao espelho, reclusa no diálogo consigo mesma, como Narciso apaixonado pela imagem reduplicada na superfície da água, e como ele encontrando a morte no recesso do mundo que a sua fantasia construiu.

3. Não tenho a pretensão de atribuir a estes apontamentos o papel de diagnóstico clínico de Capitu. Deixo-o aos especialistas, que, nesta hipótese, lançariam mão das reminiscências de Bentinho como material revelador do inconsciente, da mesma forma que os textos shakespearianos se têm prestado à exposição de teses freudianas. No caso, interessou-me assinalar o narcisismo e o gosto teatral de cercar-se de enigma como traços fundamentais do universo psicológico de Capitu, movido pela idéia de que ele pode explicar não só o seu modo de ser como também a estrutura do romance, desde a mais remota lembrança de Bentinho até o seu melancólico desfecho. O romance exibe abundantes sinais de que, para a mais adequada interpretação da sua complexa rede simbólica, é imprescindível levar em conta o caráter de Capitu: Esfinge e Narciso.

Notas

1. Machado de Assis, *Dom Casmurro*, 7ª ed., S. Paulo, Cultrix, 1968, p. 69. As demais citações foram extraídas da mesma edição.
2. Alexander Lowen, *Narcisismo*, trad. bras., S. Paulo, Cultrix, 1985, p. 9.
3. *Idem, ibidem*, p. 9.
4. *Idem, ibidem*, p. 121.
5. Quanto à relação entre narcisismo e domínio sobre os outros, especificamente no que toca ao binômio Capitu-Bentinho, ver Freud, "Introdução ao Narcisismo", in *Obras Completas*, trad. bras., Rio de Janeiro, Delta, 1959, vol. V, p. 259.
6. Alexander Lowen, op. cit., p. 58.

8

Em Busca dos Olhos Gêmeos de Capitu

1. Capitu, a esfinge. Sempre a fascinar transeuntes e contempladores, volta a seduzir-nos com o seu enigma. Nenhuma surpresa neste desafio que já dura um século. A novidade está em que o faça em companhia de uma menina, sua contemporânea, trazida pelas mãos de um machadiano experimentado, Roberto Schwarz (*Duas Meninas*, 1997).

A esfinge não dorme, não interrompe jamais a torrente de lava que se congela no enigma. É da sua condição de esfinge repelir todo assédio que a decifrasse de uma vez por todas, condenando-a a um silêncio perpétuo. Nem por sombras a sua indagação encontra resposta: seria inconcebível que o enigma se desfizesse, reduzido a platitudes ou certezas óbvias. Assim é Capitu. E por que assim a fez o seu criador, talvez sem imaginar que o visitara sorrateiramente um poder incontrolável, não espanta que permaneça como tal. E que, por isso, de tempos em tempos o seu rosto projete o mesmo enigma de sempre. E quando cuidávamos que afinal tudo se dissera a respeito dessa obstinada força do mito, ei-lo que ressurge novamente. Agora, a sua efígie com "olhos de ressaca" suscita a hipótese de que outras almas gêmeas poderiam ao mesmo tempo erguer o seu vulto. É o caso de *Duas Meninas*.

Dois ensaios compõem o volume: o primeiro, em torno da heroína machadiana, intitula-se "A Poesia Envenenada de Dom Casmurro" e já havia conhecido letra de fôrma em 1991 e 1994; o outro, intitulado "Outra Capitu", tem como objeto Helena Morley, a narradora de *Minha Vida de Menina* (1942), e estava inédito. Enquanto Capitu ocupa as páginas 9 a 41,

Helena preenche as restantes de um livro de 144 páginas. A disparidade numérica não causa espécie: afinal, a protagonista de *Dom Casmurro* é assunto batido, ao passo que a outra não merecera antes, que se saiba, um tratamento tão longo e com tal envergadura.

Embora Capitu seja a personagem central do romance e a máxima razão das reminiscências que deram corpo à narrativa, o título refere-se ao narrador. Quem o deu foi um rapaz que Bentinho conhecia "de vista e de chapéu", para lhe designar o jeito "de homem calado e metido consigo". O ser a história contada na primeira pessoa, tanto quanto *Minha Vida de Menina*, é mais do que um truque narrativo. Enquanto *Dom Casmurro* sugere que o foco de luz converge sobre o narrador, com isso derramando tênue penumbra sobre Capitu, no texto de Helena Morley a autora e a narradora se confundem, como seria de esperar de um diário. Mas ao dizer, logo no capítulo inicial, que não achara "melhor título para a [sua] narração", insinua-nos que, se o ciúme pôde fazer dele, Bentinho, uma espécie de Otelo, como sabemos desde o estudo de Helen Caldwell, tudo o mais que ocorre é visto da sua perspectiva, inclusive o enigma de Capitu.

Podíamos até acreditar que é por ser um narrador não confiável que a sua amiga de infância e depois mulher se transformou num enigma. Não porque suspeitasse que o traíra com o seu amigo Escobar, mas porque a sua óptica não podia dar outro resultado: ele vê tudo como um ingênuo irremediável. Jamais amadurecera, e a própria tentativa de reconstituir o passado não lhe confere maturidade. Antes pelo contrário, é como se recordasse para todo o sempre a sua vida, estagnada num ponto em que divisa tudo à sua volta como enigma ou probabilidade.

Deduzimos disso que o enigma de Capitu não seria senão o resultado do infantilismo do narrador? Não creio que uma resposta positiva desvendaria o mistério da heroína, nem que, muito menos, nos habilitaria a dizer que se trata de um falso enigma. Este é, ao fim de contas, também do narrador. Somente que nos damos conta disso se atentarmos para a identificação entre ambos: Bentinho não supera a lembrança da sua bem-amada, nem mesmo recorrendo à catarse da rememoração. É que falava de si próprio ao ruminar sem pausa a sua vida com Capitu. O enigma dela é seu também, mas como verso/reverso: o calculismo de Capitu, que o tempo não apagou, pode também ser entendido como sinal de fixação nos primeiros anos de vida. Ou seja, até os últimos dias manteve as características de personalidade que manifestava na infância.

A crer no narrador, e não temos outra saída, por mais estratagemas que usemos para desqualificá-lo, ele se mostrará impotente no trabalho de Sísifo em que a sua vida se tornou: a sua punição é recordar continuamente, num jogo circular sem fim, o seu drama, sem saber ao certo como as coisas se passaram. Delas tem os sinais que autorizam interpretações, e tanto quanto o leitor, do passado da personagem sabe apenas aquilo que vem rememorando no fio dos dias. E o que lhe sobe à memória não o alivia em momento algum, nem da perda, nem da desconfiança de que tinha sido traído pela mulher do seu destino e pelo melhor amigo.

Aí se localiza a razão de que o enigma persiste, e persistirá, como se a cada releitura o próprio Bentinho redigisse de novo as suas memórias, com as mesmas palavras, sem mexer numa única vírgula. Outra não pode ser a narração da sua existência com Capitu. É certo que os dois carregam enigmas, mas também é verdade que estes são substancialmente diversos em natureza, grau e situação. A rigor, o drama de Bentinho decorre da sua função de narrador, e por isso poderia ter outro designativo, que não enigma, sem perder o seu caráter próprio: ele não compreende como e por que os episódios centrais da sua vida se organizaram de uma forma que o condenaram à solidão prometéica. E menos ainda compreende a esfinge a jorrar enigmas que lhe coube por mulher. Esta é misteriosa como ser, enquanto a sua perplexidade de memorialista advém de a espelhar submissamente e, sobretudo, de aceitar o desafio de ir em busca do passado. É nesta condição de narrador não confiável que chama a atenção: como personalidade, está no extremo oposto de Capitu. Homem comum que a vida amarrotou, o seu caso é, digamos, de índole técnica, situa-se nos quadrantes da retórica, diz respeito aos problemas do foco narrativo na primeira pessoa, — ao passo que o de Capitu é intrinsecamente ontológico.

Ao contrário do que seria de esperar, o ensaísta nivela um e outro, frisando que "não está nela, mas no marido, o enigma cuja decifração importa", como se ele ostentasse um enigma da mesma natureza, do mesmo grau e da mesma situação de Capitu. Ou antes, como se lhe fosse mais denso e mais relevante. Na verdade, Bentinho é desde sempre um ingênuo incurável, e ela, a própria encarnação do maquiavelismo feminino, para dizer o mínimo. A menina de Matacavalos é, com toda a evidência, a protagonista central de *Dom Casmurro*; é personagem redonda. O seu amigo de infância desempenha o papel de coadjuvante; é personagem plana. Assim se explica que o autor não pudesse, em sã consciência, estampar o nome da heroína no título da narrativa. Salvo se Bentinho denominasse o seu relato, por absurdo, de *Minha Vida de Menino* ou *Minhas Memórias de Capitu*. Mas o que se extinguiria com isso salta aos olhos mesmo do leitor menos atento.

Como poderia ter ele outra percepção de Capitu se mal sabia de si e se deixava conduzir por ela desde as primeiras horas? Não é estranho que um homem chegue à velhice remoendo a sua obsessão, mas dando dela um retrato verossímil? Por que não embelezar o passado, pelo menos o seu, fazendo-se outro que não um Bentinho à mercê da vontade da sua companheira de infância? Como alcançou ser tão fiel aos acontecimentos? Em suma: se o enigma de Capitu continua a dar voltas à nossa cabeça, como esfinge imutável, o mesmo não se poderia dizer de Bentinho, sem forçar demasiado a nota. Ela é a esfinge indagadora; ele, o seu contemplador, tolhido nas malhas duma sedução paralisante, como o de um ser humano que, ante o mito, se transfigura e se anula.

2. Eis por que também não se resolverá jamais a ambivalência da narrativa. Se nos aferrarmos à idéia de que o narrador de *Dom Casmurro* não é confiável, ou antes, nas palavras do ensaísta, é um "protagonista *tendencioso*", somente nos resta suspeitar de tudo quanto se diz ao longo da rememoração, inclusive na primeira parte, quando "o jovem casal de namorados luta contra a superstição e o preconceito social". Se é verdade que assim procederam, como duvidar dos outros episódios, narrados pelo mesmo protagonista? A crítica enfrenta aqui um impasse: ou aceita que as memórias de Bentinho possuem verossimilhança, a verossimilhança peculiar a esse gênero de reconstituição do passado. Ou recusa-as terminantemente, com as conseqüências fáceis de imaginar. O meio-termo, ou melhor, o emprego das duas alternativas, ao sabor do vaivém das conveniências, constitui, no caso, uma impossibilidade ao mesmo tempo lógica e crítica, ou denuncia a conhecida estratégia para justificar a adoção de um viés crítico em que facilmente se pode enxergar dois pesos e duas medidas.

Ora, como admitir que os jovens namorados tomem, na primeira parte, "o partido das Luzes, contra o mito e a injustiça", sem que a mesma afirmação, além de conter o pressuposto de que Bentinho é um narrador íntegro, portanto confiável, deixe à mostra o caráter faccioso da leitura ideológica? Se José Dias, assim como a família de que é agregado, são estudados "com precisão propriamente científica", por que não conferir o mérito a Bentinho e, sim, a Machado de Assis? Seria Bentinho apenas tendencioso quando ciumento? Ou, caso isso fosse verdadeiro, por que não admitir que a arte literária assim o fez? Se Bentinho vê Capitu na infância com as qualidades que levaram o crítico a atribuir à menina um "raro espetáculo de independência de espírito e inteligência", por que negar que Bentinho mais tarde tenha descoberto tudo quanto pode explicar o ciúme doentio pela mulher? E mesmo o retrato que Bentinho pinta de si próprio, como admiti-lo oriundo de um protagonista tendencioso? Mais ainda: se Capitu superou o ambiente doméstico, "cujos meandros e mecanismos [...] conhece com discernimento de estadista", quem ofereceu ao crítico os elementos para julgá-la tão alto? Por fim, para não alongar ainda mais os pontos que o ensaio examina, lembremos que o seu autor reconhece que a narrativa de

Bentinho nos exibe uma "escrita sistematicamente equívoca". Sendo assim, não residirá aí o mais correto prisma para se analisar *Dom Casmurro*, e o sintoma mais palpável de que o enigma de Capitu, além de ser o eixo da narrativa, perdura indefinidamente? Tanto assim que é ela, e não Bentinho, que o ensaísta coloca em paralelo com a heroína de *Minha Vida de Menina*. Qual a razão da escolha, se o que importa, a seu ver, é decifrar o enigma do narrador casmurro?

3. *Minha Vida de Menina* foi extraída dos cadernos em que Helena Morley, aliás, Alice Dayrell Caldeira Brant, vazou o seu diário, entre 1893 e 1895. Esquecido durante várias décadas, veio a público em 1942, cercado de um mistério que ainda não se dissipou. Teria a autora transcrito ao pé da letra as suas anotações de menina de Diamantina? Ou, além de ela lhes introduzir emendas, teriam passado pelo crivo de Augusto Meyer e Ciro dos Anjos, para não falar no marido da autora? Se tais achegas foram feitas, não estaríamos diante de uma autoria múltipla? Neste caso, como julgar o texto, cuja 15ª edição (1979) temos à frente? A quem atribuir as observações, o tom, o arranjo dos episódios, etc.? À menina mineira ou aos seus co-autores? Que certeza temos de qualquer assertiva crítica baseada no texto corrente? Como aceitar de ânimo leve o que pode ser uma distorção proposita-da, introduzida pelos colaboradores, dando à menina pensamentos do adul-to em que ela se tornara ou dos escritores que puseram a mão no manuscri-to a fim de lhe emprestar plausibilidade e mesmo certa inflexão de ordem ideológica?

Temos uma intrincada questão textual, excelente pasto para a chamada crítica genética. E, ainda, um documento propício à investigação sociológi-ca. Do ponto de vista literário, porém, como não estranhar que se considere *Minha Vida de Menina* de tal nível que "não há quase nada à sua altura em nosso século XIX, se deixarmos de lado Machado de Assis"? Não simples-mente porque se trata de um diário, mas também por isso, *Minha Vida de Menina* é um relato linear, de uma "menina provinciana nos fins do século XIX", como vem no subtítulo. Para dizer o mínimo e não repetir uma vez mais, *Dom Casmurro* constitui o seu pólo oposto, uma vez que lida com o imaginário, enquanto os apontamentos de Helena Morley se pretendem verídicos.

Simetricamente a *Dom Casmurro*, o livro de Helena Morley emprega a primeira pessoa do singular e a narradora acaba em suspeita, graças à filtra-gem e às intromissões que as suas páginas receberam. Se o ser na primeira pessoa decorre da condição de diário, e, por isso, não tem maior relevância crítica, o outro aspecto merece consideração mais detida, pois desvela um ponto fulcral no exame da obra. Uma vez que os cadernos da menina teriam sofrido, como assinala o autor do ensaio, mudanças consideráveis às mãos de hábeis (e não menos *tendenciosos*) artesãos da palavra do século XX, como afirmar que "temos o prazer [...] de assistir a sucessivos quinaus juvenis no obscurantismo de clã e de classe"? Fossem realmente da menina (e não da mulher em que se tornou ou de mãos alheias) é até possível que outra não pudesse ser a conclusão. Mas no estado atual da questão ("Quando os manuscritos estiverem disponíveis, estas incertezas talvez se desfaçam", lembra o ensaísta), como se pode estar seguro da veracidade do que se lê? Outras dúvidas e perplexidades no gênero assaltam o leitor diante de certos passos em que se fala na "precocidade literária de Helena", ou em que se põe ênfase na sua "disposição questionadora e raciocinante, certamente filiada às Luzes", ou em que se louva o "bom senso materialista" da menina.

4. Em coerência com a perspectiva crítica adotada, o ensaísta assim resume a tese do estudo em torno de *Minha Vida de Menina*: "Sem favor, a saliência do interesse econômico, junto com a sua constante relativização pelas considerações de felicidade familiar, dão um espetáculo de raro equilíbrio e liberdade de espírito". A questão que se levanta no momento não é que se a tese tem ou não procedência, mas, sim, se podemos creditar à menina as observações que a justificassem. E, mais ainda, se tais méritos colocariam a história da menina de Diamantina e a de Matacavalos no mesmo plano de interesse.

O autor de *Duas Meninas* considera que somente a primeira metade da sondagem proustiana de Bentinho é que importa cotejar com o diário de Helena Morley, pelo fato de que "a outra metade do romance, de clima tortuoso e *sui generis*, não cabe no paralelo". Ou seja, confrontam-se as duas meninas, sem se levar em conta que uma delas pode estar falando por meio de vários *alter egos*, e põe-se de lado a segunda parte de *Dom Casmurro* pelo fato de que "o comando da ação passa ao Casmurro, ou seja, a Bento na qualidade de marido e proprietário alterado pelo ciúme". Vale dizer: na primeira parte o narrador não é considerado tendencioso, e sua transcrição do passado infantil pode ser comparada com o da menina de Diamantina, por sua vez modificado por mãos alheias. E na segunda parte, passa a ser inconfiável. A simetria cede lugar, aqui, como se vê, à contradição.

Compreende-se o entusiasmo que *Minha Vida de Menina* possa desencadear em quem procure nela um documento social do interior mineiro na última década do século XIX. Todavia, o cotejo parece evidenciar que as páginas do diário de Helena Morley não conseguem escapar de sua condição de leitura para jovens. E, precipuamente, jovens do sexo feminino. Até mesmo o fato de o ensaísta volta e meia encontrar poesia no diário, inclusive no "encadeamento enxuto dos atos", faz pensar que outro destino não podem ter. Não quer dizer que às observações sugeridas pelo texto falte pertinência. Se os atos podem, contudo, "despertar pensamentos específicos, engraçados de imaginar", também não custa imaginar que, embora se possa extrair muito ouro sociológico do diário, isto não significa que seja capaz de interessar a leitores adultos. Se não é propriamente um livro da "coleção das moças", também não é muito mais. Mesmo porque, para as meninas dos nossos dias, de Diamantina ou do Rio de Janeiro, o diário poderá cheirar a coisas envelhecidas, retiradas de um baú esquecido por 50 anos, em suma, fora de moda. Quando não bisonhas, se confrontarmos a simplicidade, ainda que cheia de esperteza, da autora do diário com a permissividade, não raro viciosa, das jovens de hoje.

5. Enfim, *Minha Vida de Menina* é um texto agradável de ler, mas que se esgota na primeira leitura, exceto para quem procure informar-se acerca do dia-a-dia numa cidade como Diamantina no ocaso do século XIX. Mal resiste à releitura, ou na verdade não a solicita, pois os acontecimentos não apresentam maior espessura ou carga metafórica. Por mais que admiremos a perspicácia de uma jovem (até onde lhe pertence o texto, evidentemente) na detecção de seres e coisas do seu pequeno mundo, a linguagem sem artifícios, tudo se passa à superfície, como uma lavra de mineração a céu aberto. Claro, o milagre da recuperação do tempo perdido, que a narradora empreende ao desvendar nos cadernos mofados o registro vivo da sua meninice, ali se reproduz a cada cena. Mas não creio que baste para conferir densidade às suas anotações, por lhes faltar esta coisa que é tudo, ou quase tudo, num texto literário, — a transfiguração do real cotidiano por meio da fantasia. A narradora parece não inventar nada, ainda que o seu olhar de menina esteja repassado de subjetividade. Numa palavra, mais próximo da reportagem, ou documento historiográfico, do que da prosa de ficção.

Colocado em paralelo com *Dom Casmurro*, fica mais do que nunca patente que Capitu não tem rival. Ainda que admitamos serem da Helena menina todas as páginas do diário, o resultado não se modifica. Antes pelo contrário. Por mais que lhe achemos qualidades estimáveis, até prenúncios do feminismo da atualidade, não me parece que suporte o confronto. O auto-retrato delineado nos cadernos é, apesar dos retoques, uma fotografia amarelecida, de álbum comido pelas traças do tempo. De Capitu fica-nos sempre a impressão de uma figura esquiva, um rosto de mil faces, em permanente dinamismo, sem igual entre as heroínas que povoam os romances brasileiros, não só do século XIX, como também desse outro que chegou ao fim sem ter inspirado uma personalidade à sua altura.

9

Capitu e Quina: a Esfinge e a Sibila

1. O estudo comparativo situa-se, como se sabe, na base de todo processo crítico. Mesmo quando não enunciado como tal, ou seja, quando o objeto em foco é um tema, um autor, uma obra, um tópico qualquer, lá está ele, subjacente à análise. Pelo processo analógico, delineia-se no horizonte do estudioso um paradigma, ou uma generalização, que está presente, explicitamente ou não, no seu trabalho de exegese e interpretação. Penso que não há maneira de se adiantar qualquer exame textual sem que um modelo, ainda que provisório ou meramente esboçado, se erga como guia da investigação.

Se tal equação preside qualquer sondagem interpretativa, não significa obviamente que os problemas ficam resolvidos, senão que apenas se desenhou a moldura dentro da qual se inscreve a pesquisa literária. Muito mais complexo se tornará o quadro analítico se o estudioso eleger a comparação o seu método crítico. Neste caso, insere-se ele na chamada crítica comparada, ou mesmo literatura comparada. Se, ao fazer tal opção, de um lado tem a seu favor a universalidade da comparação como base de estudo, de outro, deverá preparar-se para enfrentar os numerosos e intrincados problemas que surgem ao adotá-la como método. Dentre eles, o capítulo das fontes e das influências não é certamente o menos espinhoso.

Visto que a consciência da complexidade inerente à crítica comparada não escapa ao comum dos estudiosos da área, julgo que somente me cabe referir um que outro aspecto da questão, indispensável ao esclarecimento do assunto deste capítulo. Comecemos por um aparente truísmo: a comparação deve ser feita entre objetos que podem ser comparados. Ou melhor: colocar em paralelo obras, temas, personagens, etc., que tenham algo em comum, de modo que a comparação seja determinada, ou ao menos sugerida, por eles, e não pela vontade ou idiossincrasia do crítico. Mas este algo em comum há de possuir características de intrínseca necessidade para que a comparação exiba tal evidência. É que, como sabemos, traços comuns podem ser identificados entre uma infinidade de obras, temas, personagens, etc., sem que por isso mereçam ser comparados.

2. A nossa escolha recaiu em duas figuras femininas — Quina e Capitu — colocadas face a face, em razão da grandeza do seu tipo humano, sem par nas respectivas literaturas. As narrativas em que exibem a sua trajetória existencial encontram-se afastadas no tempo e no espaço, seja pela data e local da sua publicação, seja pela data e local da ação. *Dom Casmurro* foi publicado em 1899, e a sua trama se desenrola entre 1857 e 1875, no Rio de Janeiro, enquanto *A Sibila* é de 1957, e a sua fabulação transcorre no meio rural português, aproximadamente entre 1870 e as vésperas da elaboração da obra-prima de Agustina Bessa-Luís.

Se tais contingências separam as duas obras, outras há que as aproximam, justificando que as situemos frente a frente. Além de as identificar o emprego da mesma língua, apesar das mudanças operadas nas suas formas locais, e do fato de serem romances, e romances de personagens, há pontos em comum que requerem especial atenção. Romances de heroínas, primeiro que tudo, como declara abertamente o próprio título do romance de Agustina e como deixa explícita a narrativa machadiana. Todavia, esta mesma diferença no título das obras tem a sua razão de ser, que o estudo comparativo pode esclarecer. Em uma delas, narra-se a existência de uma sibila da província portuguesa do norte; em outra, o drama de uma esfinge carioca.

Mas tão importantes são as duas protagonistas que decerto não será exagero dizer que Quina está para a Literatura Portuguesa assim como Capitu está para a Literatura Brasileira. Inscritas numa galeria de personagens memoráveis, que a ficção portuguesa e a brasileira vêm construindo nos últimos duzentos anos, ambas se sobressaem, nas respectivas literaturas, como heroínas incomparáveis. Outras poderiam ser lembradas, é claro, pelos traços de temperamento ou de beleza, mas nenhuma delas se lhes equipara na complexidade de caráter e no mistério do ser. Uma, porque dotada de poderes mágicos, a outra, pelo enigma que lhe cerca a personalidade e a vida conjugal. Se ali a razão de as comparar está patente, aqui não só o paralelo avulta com toda a força, mas também se nos depara como um desafio. Um

Capitu e Quina: a Esfinge e a Sibila **97**

duplo desafio, ao final de contas, nascido da condição que torna cada uma delas uma presença singular nas letras vernáculas. Se cada uma delas em particular já é um grande desafio (e o de Capitu já dura um século), o colocá-las em confronto é um desafio ainda maior. É precisamente este desafio que pretendemos enfrentar neste ensaio.

3. Aos leitores dos dois romances certamente não passa despercebido que a análise de cada uma das figuras, tal a sua complexidade, já seria motivo de um estudo alentado. Quanto mais se nos propusermos a sua comparação. Daí que apenas tocaremos em alguns pontos essenciais, simplesmente com o intuito de situar a questão que ora nos ocupa. Partindo de fora para dentro, observa-se que as duas histórias são narradas por um *alter ego* do romancista. Bentinho toma da pena para "atar as duas pontas da vida"[1], ou seja, rememorar a sua vida com Capitu, desde a adolescência até o desenlace; "E, bruscamente, Germa começou a falar de Quina"[2].

Assim como o retrato de Capitu é delineado pelas lembranças de Bentinho, o de Quina é-nos oferecido pelas palavras da sobrinha. Com a diferença de que o narrador machadiano faz o relato confessional do seu passado melancólico e Germa entrega-se a um longo monólogo, juntando os dados da sua memória a outros que ouvira das demais personagens, como se recordasse a estranha figura da tia, núcleo irradiador do mundo à sua volta. É tanto Quina o assunto, o centro da atenção da narradora, que as personagens vão surgindo por associação com ela, e para melhor identificar o sentido multiforme da sua personalidade misteriosa. Outro tanto se diria de Capitu.

Capitu é retratada fisicamente por duas vezes, mas o seu retrato interior é-nos dado ao longo de todo o romance. Nas várias vezes em que aparece — e não são poucas, visto ser o alvo das reminiscências de Bentinho —, esconde/entremostra um traço do seu caráter enigmático, como se pretendesse permanecer desconhecida, irrevelada. Ao contrário, as numerosas mutações de Quina, ou as suas aparições trazendo aspectos novos da sua personalidade, são-nos visíveis como se fôssemos espectadores ou ouvintes do relato de Germa: o seu mistério, nós o vemos desdobrar-se aos nossos olhos com nítida clareza, embora sem perder nada da sua natureza sibilina. Capitu camufla-nos o seu mistério, como que receosa de que, mostrando-o, poderia ele evaporar-se à luz do dia. Quina, por seu turno, revela-se inteira, minúcia a minúcia, exibindo-nos as facetas da sua insólita personalidade, mas sem comprometer o encanto ou o mistério. A personagem de *Dom Casmurro* oculta-se, para melhor operar o seu desígnio de onipotência sobre Bentinho e os outros. O mistério de Quina é múltiplo na sua evidência solar, e o de Capitu é uno na sua penumbra lunar, como se o primeiro dependesse de inúmeros fatores para se organizar, e o outro, das suas pulsões mais profundas.

Talvez por isso, quando Quina entra no ocaso, atacada por uma doença fatal (pneumonia), vemos que os seus poderes começam a definhar ou a se extinguir à custa de terem sido exaustivamente empregados: "Durante as longas horas da sua doença, Quina viveu uma plenitude espiritual, rara e até única na sua vida. [...] Era, antes, um absoluto" (p. 212). Capitu, por seu lado, leva até o túmulo o seu segredo inviolável, não só do seu ser enigmático, como ainda da sua infidelidade conjugal. Jamais saberemos com certeza quem verdadeiramente foi ela e se de fato traiu o seu amigo de infância, ao passo que saberemos tudo a respeito de Quina, nos mínimos pormenores. Decerto as coisas assim se passaram graças às artes diabólicas de Quina, cujas manobras e esquivanças cedo ou tarde se desmascaram, ao menos para Germa, pois usufruíam de um tempo determinado de duração. E pelo contorno esfíngico de Capitu, cujo enigma continua a desafiar-nos mesmo depois que, cansados de tentar decifrá-lo, voltamos o olhar para outras paragens, em busca de um código que nos permita reagir ao impacto perturbador que recebemos ao mirar de frente a criatura enigmática.

Capitu ficou enterrada na Suíça, orçava ela pelos 50 anos; Quina, faleceu aos 76 anos. Mas ambas parecem talhadas num bloco imemorial, aquela porque se furta, como esfinge que é, ao olhar indiscreto que lhe sondasse as possíveis marcas do tempo no rosto envelhecido. A outra, por ter chegado a uma idade provecta sem acusar o peso dos anos: "pertencia, de facto, a essa classe de pessoas que atravessam a vida sofrendo mínimas alterações espirituais e que, portanto, parecem não ser de todo sensíveis à idade. Morrem crianças, depois de ter amadurecido todo o saber dos adultos. A mente desabrocha, tem a sua metamorfose, extingue-se; mas o espírito é uma forma intemporal, não conhece a propriedade de sentimentos que o tempo imprime na razão dos homens; tem as suavidades cândidas da infância, juntamente com os cepticismos mais cruéis da experiência — e o que neles chamamos idade é apenas o seu hábito e riqueza de expressão, que só com a desenvoltura mental se adquirem" (p. 215).

4. Evidentemente, os focos narrativos na primeira e na terceira pessoas constituem expedientes técnicos freqüentes na história da ficção ocidental, mas nem por isso são menos relevantes para a compreensão do enredo de uma bruxa rural e de uma esfinge citadina. Além disso, é importante assinalar que, ao contrário do que seria de esperar, o foco na terceira pessoa não impede que a narrativa apresente complexidade na estrutura, de certo modo espelhando a imagem da protagonista. E a rememoração de Bentinho é, no seu arcabouço, tão linear, ou seja, obediente à ordem do calendário na sucessão dos acontecimentos, quanto os romances realistas e naturalistas procuraram ser. Com efeito, numa espécie de *mise en abyme*, Agustina cede a Germa a primazia de narrar a odisséia duma sibila rural, não sem reservar espaço entre ela e a narradora, com vistas a intervir quando necessário na reconstituição do passado na casa da Vessada e, ao mesmo tempo, dar a ilusão de a sua escrita ser fiel às reminiscências da personagem.

Logo no começo do seu mergulho proustiano, Germa exclama, antecipando-nos a impressão que iremos colher da trajetória da protagonista: "Ah, Quina, tão estranha, difícil, mas que não era possível recordar sem uma saudade ansiada, quem fora ela?" (p. 11). O mesmo não diria Bentinho da sua amiga Capitu, inclusive a "saudade ansiada"? Ambas, cada qual à sua maneira, eram misteriosas, estranhas, difíceis. Divergem, porém, no fato de que a estranheza de Quina se nos vai descortinando aos poucos, embora não se revele, na sua plenitude, para os seres à sua volta, enquanto Capitu permanece enigmática para todo o sempre. Ali, temos o retrato de uma alma dotada de estranhos poderes, poderes de bruxa; aqui, a força anímica é uma só — a dissimulação —, embora em determinado momento o narrador lhe reconheça algo que lembra Quina: "Capitu usava certa magia que cativa" (163). Mas, ao passo que Quina ostenta todo o arsenal de forças sobrenaturais que lhe conferem a personalidade de sibila, Capitu oculta-se o mais que pode, recusa-se a dizer-nos com clareza o móbil das suas ações e do seu caráter. Diga-se de passagem que não cabe, neste aspecto, apelar para a condição de narrador não confiável de Bentinho, uma vez que também Germa pode ser acusada de nos oferecer uma visão deturpada da sua estranha e complexa tia.

Talvez pelo fato de as duas possuírem caráter insólito, embora diverso no seu fundamento, o retrato de Quina vai-se esboçando progressivamente, no fio dos acontecimentos, por um processo cumulativo, digno de um pintor expressionista habilidoso e exigente, ao passo que Capitu entra em cena aos catorze anos, e já definida na sua personalidade, ou já deixando adivinhar o seu caráter esfíngico. Capitu não mudará até o fim, composta que é de uma peça só. Apenas irá acentuando e desenvolvendo a matriz que deixa a descoberto já na adolescência, vai-se tornando, em suma, aquilo que realmente era desde o início. Ao menos é esta a impressão que deixa desde o primeiro momento em que aparece para o leitor. A sua infância e puberdade pertence a um passado obscuro, que o narrador cala deliberadamente, uma vez que os registros da sua memória não chegavam a tanto. Seria na verdade incoerente que nos relatasse os anos anteriores de Capitu, mesmo que lançasse mão das lembranças de outra personagem: a estrutura de *Dom Casmurro*, ou melhor, da angustiante rememoração de Bentinho, não lhe permitiria abrir espaço para um *flash-back* que remontasse aos primórdios da vida de Capitu.

A heroína machadiana é desde a sua aparição tudo aquilo que será daí por diante, evidentemente não no aspecto físico, pois que este, tirante o pormenor característico dos olhos, tem importância menor. A dissimulação, seu traço distintivo de caráter, manifesta-se logo às primeiras falas. Fôssemos rastrear todos os momentos em que os seus gestos, as suas palavras, a sua movimentação, enfim, o seu modo de ser transpira dissimulação, teríamos de assinalar praticamente todo o romance. Satisfaça-nos um que outro exemplo como indício do seu perfil moral e psicológico, que o agregado José Dias sintetizaria emblematicamente ao dizer que ela possuía "olhos de cigana oblíqua e dissimulada" (p. 102).

Na cena em que se anuncia a entrada de Bentinho no seminário, para satisfazer a vontade materna, Capitu chama a mãe do seu companheiro de beata e carola, "em voz tão alta que tive medo fosse ouvida dos pais. Nunca a vi tão irritada como então; parecia disposta a dizer tudo a todos. Cerrava os dentes, abanava a cabeça...". Mas praticamente sem intervalo, "calou-se outra vez. Quando tornou a falar, tinha mudado; não era ainda a Capitu do costume, mas quase. Estava séria, sem aflição, falava baixo. Quis saber a conversação da minha casa; eu contei-lha toda, menos a parte que lhe dizia respeito" (p. 92). O texto fala por si, dispensando qualquer comentário. A Capitu adulta não é menos, senão mais, dissimulada. No episódio do velório de Escobar, a sua habilidade chega ao ápice, ao mesmo tempo que dá um dos raros sinais de fraqueza, a ponto de se trair por um breve minuto: "Muitos homens choravam também, as mulheres todas. Só Capitu, amparando a viúva, parecia vencer-se a si mesma. Consolava a outra, queria arrancá-la dali. A confusão era geral. No meio dela, Capitu olhou alguns instantes para o cadáver tão fixa, tão apaixonadamente fixa, que não admira lhe saltasssem algumas lágrimas poucas e caladas... As minhas cessaram logo. Fiquei a ver as dela; Capitu enxugou-as depressa, olhando a furto para a gente que estava na sala. Redobrou de carícias para a amiga, e quis levá-la; mas o cadáver parece que a retinha também. Momento houve em que os olhos de Capitu fitaram o defunto, quais os da viúva, sem o pranto nem palavras desta, mas grandes e abertos, como a vaga do mar lá fora, como se quisesse tragar também o nadador da manhã" (p. 234).

Mais ainda: Capitu parece ter nascido pronta, como se Machado de Assis, traindo-se, deixasse vir à tona a crença no determinismo genético, a chamada "herança", então em moda, para lhe explicar o caráter e o destino. O próprio Bentinho reconhece-o, ainda que retrospectivamente. Numa cena em que Capitu emprega a dissimulação e a mentira com a sua precoce

Capitu e Quina: a Esfinge e a Sibila

engenhosidade, comenta-lhe o talento dizendo que "há cousas que só se aprendem tarde; é mister nascer com elas para fazê-las cedo. E melhor é naturalmente cedo que artificialmente tarde" (pp. 87-8). Claro, quem aprendeu tarde somente poderia ser ele mesmo. Por outro lado, ao pai de Capitu não escapava que a filha era privilegiada, pois imediatamente, "cheio de ternura", pergunta a Bentinho: " — Quem dirá que esta pequena tem quatorze anos? Parece dezessete". Pouco depois, o narrador dirige-se ao leitor com o seguinte comentário, como a glosar a fala paterna, em que transparece com toda a força o maquiavelismo da sua prometida: "Como vês, Capitu, aos quatorze anos, tinha já idéias atrevidas, muito menos que outras que lhe vieram depois; mas eram só atrevidas em si, na prática faziam-se hábeis, sinuosas, surdas, e alcançavam o fim proposto, não de salto, mas aos saltinhos" (p. 94).

Em contrapartida, Quina experimenta sucessivas e sutis mudanças ao longo da vida, sobretudo depois da doença que a acometeu, praticamente com a mesma idade de Capitu ao intervir pela primeira vez na ação. Que doença era, podemos inferir dos seus sintomas: "Uma vez, tinha ela não mais de quinze anos — estava espigada, pálida, com achaques de cansaço, desvanecimentos muito atalhados com cozeduras de arruda — quando foi acometida duma síncope muito grave. Era em agosto, e ela acabara de pular da presa onde estivera a desencardir-se da terra, depois das regas, quando caiu para o lado, desacordada, muito gelada, os lábios cinzentos. Foi o prelúdio duma longa doença. Durante um ano não deixou o leito; habituaram-se todos a considerá-la inválida, muito sujeita a breves desmaios a que chamavam ataques, branca, escoada, falando baixo e sorrindo inesperadamente para o vazio, e segurando tardes inteiras um rosário cujas contas, de modo um tanto febril, repassava"(p. 52). Epilepsia, a doença sagrada? Não corresponde ao frenesi que as sibilas do templo de Apolo experimentavam antes de fazer os seus oráculos? Os indícios apontam nessa direção, acrescentando a dose de fatalidade mítica que faltava para compor o figurino incomum da heroína.

Refeita, podendo "retomar a vida canseirosa de antes [...], depressa adquiriu uma sabedoria profunda acerca de todos os ritmos da consciência, do instinto, das forças telúricas que se conjugam no fatalismo da continuidade. [...] Aos poucos, ela foi ganhando títulos de adivinha, de mulher de virtude, que nunca repudiou completamente, ainda que lhe repugnasse ser equiparada a qualquer explorador de ingenuidades broncas" (pp. 59, 60, 61). Não obstante ser a revolução interior que desencadeou a profunda metamorfose de caráter, o narrador de *A Sibila* não esquece de frisar que a heroína recebera do pai, de nome Francisco Teixeira, o "'estilo hamletiano', o choco de indecisão, a cobardia da violência, que se resgatam de súbito com um acto que transcende toda a razão" (p. 21). E de sua mãe, de nome Maria, teria herdado um traço não menos marcante: "ela pertencia a essa casta rara e invencível dos que, a par da mais crua teoria do pessimismo, se mantêm fiéis à esperança, e que mesmo na morte não sucumbem" (p. 22). Aqui, não se trata de uma possível crença determinista, mas, sim, o colocar a tônica na singularidade de Quina, visto que não são os traços herdados que lhe definem o caráter invulgar, senão alguma força oculta, manifesta inicialmente na doença misteriosa que a derrubou aos 15 anos.

Enquanto o leitor de *A Sibila* vai recebendo, como pode ele mesmo observar, as chaves que lhe permitem ter acesso à polimórfica e evolutiva natureza de Quina, o leitor de *Dom Casmurro*, ao percorrer o drama conjugal de Bentinho, deve pôr toda a sua atenção em alerta para descobrir que a mãe de Capitu, de nome D. Fortunata, além de parecer fisicamente com a filha, também sabia dissimular quando lhe convinha (cap. XXXIV). As duas heroínas, como se vê, recebem dos progenitores características básicas, e não podia ser de outro modo, mas são únicas no seu ambiente familiar, como se de repente brotasse, numa linhagem inexpressiva, uma flor exótica e singular. Evidentemente, podemos ver nessas características qualidades simbólicas, universais, como se ambas representassem a essência da feminilidade, mas acima de tudo elas distinguem-se das outras personagens circundantes pela sua personalidade inusitada. E nisto, como na universalidade que ostentam, podem ser entrevistas como almas gêmeas, ou as faces complementares do mesmo ser: movida essencialmente pela intuição, que não exclui o cálculo, antes pelo contrário, toda mulher seria, quem sabe, um misto de sibila e de esfinge.

Vimos que o profundo cataclismo que deu origem ao caráter taumatúrgico de Quina foi a moléstia da adolescência. Tão misteriosa como a heroína, a doença parece mais um fator endógeno do que resultante da influência do contexto social, como se a personagem trouxesse no âmago do ser o germe do surto patológico que lhe permitiria ser o que verdadeiramente era. Ela e Capitu parecem acima de qualquer condicionamento do ambiente ao seu redor. A figura machadiana vence as limitações do meio acanhado, erguendo uma bandeira de liberdade que se diria ecoar o gesto desvairado de Ema Bovary ou, mais propriamente, o gesto extremo de Nora, a heroína de *Casa de Bonecas* (1879), de Ibsen, para cumprir o seu destino fatal, como que inscrito indelevelmente na sua forte e dominadora personalidade. Lembra as heroínas do mundo clássico, condenadas pelos deuses a um destino trágico, por mais esforços que pudessem fazer para evitá-lo, com a diferença de que, em vez de submetida ao império do mito, ela se entrega ao domínio do inconsciente (que, de certo modo, é o mito interiorizado e individualizado). Afinal, Freud já iniciara, nessa época, a sua viagem nas profundezas do ser, descobrindo, ou verificando serem reais não poucas idéias que andavam no ar e, com mais veemência, na literatura.

Da mesma forma, Quina imprime à sua existência, e por extensão à comunidade em que lhe foi dado viver, a estranha personalidade que a doença revelou. Os finos dons recebidos, ao invés de lhe trazerem a bem-aventurança, puniram-na com "a mais inacessível das individualidades e o mais triste isolamento. [...] Sofria quase com devoção essa mágoa de permanecer só, e, apesar do enorme dispêndio da sua energia moral, do seu interesse humano sem limites, sentia-se como um capitão de navio que vê embarcados em escaleres todos os náufragos e permanece na amurada, enquanto sob os seus pés, num gorgolejo arrastado, se abrem abismos" (p. 199). Não obstante, se acabou gozando de alguma liberdade, "era, enfim, a liberdade de Prometeu" (p. 200). Afinal, ela também não havia roubado, ainda que sem o saber, o fogo dos céus? E não havia desafiado os deuses com a sua astúcia olímpica? Eis por que ela e Capitu são tão poderosas que as outras personagens gravitam à sua volta, como autênticos satélites, ou surgem por associação com elas, e para melhor identificar, pela diferença radical, o sentido proteiforme do seu caráter. Graças à terceira pessoa da narração, e aos numerosos figurantes e situações dramáticas, o universo de *A Sibila* mostra com mais intensidade essa dependência em que todos se encontram relativamente a Quina. O saldo, no entanto, parece análogo para as duas heroínas.

Mais extenso é, em conseqüência, o tempo da ação, envolvendo o passado anterior a Quina, enquanto a cronologia de *Dom Casmurro*, ainda que se estendendo por quase trinta anos (1857-1875), é breve do ponto de vista dramático. No romance de Agustina, o tempo é marcado por algumas datas e pelas notações indiretas, mas é como se não passasse, a não ser nas criaturas que envelhecem e morrem. Um tempo de aquário, suspenso, imperceptível, sempre idêntico. Mesmo porque a ambiência é rural, onde tudo parece obedecer a outro calendário, mais lento, menos perceptível, parado numa hora imemorial, e somente andasse o tempo das pessoas. Impulsionado pela obsessão de recapturar o passado, para desfazer as dúvidas acerca de Capitu, o narrador do romance machadiano reconstitui o passado com precisão burocrática, como se dela dependesse o esclarecimento das suas inquietações. Aqui também se observa a mesma inversão que divisamos na estrutura das duas obras: apesar de o ponto de vista ser o da primeira pessoa, as circunstâncias do relato são, além das datas, pontilhadas de referências muito nítidas.

Voltando para as duas protagonistas, nota-se que são terrivelmente maquiavélicas: o seu poder de manipulação de pessoas e situações ultrapassa tudo quanto se conhece das outras heroínas que povoam os romances em vernáculo. Sabemos que o narcisismo, a vaidade, tendo a mentira como a sua expressão ou o seu reverso, é um dos traços comuns às protagonistas femininas, mas nelas, este resíduo da infância alcança os níveis mais altos. Quina e Capitu mentem como se dissessem a verdade, sem nenhum rebate na consciência, a primeira para realizar o seu projeto recôndito de domínio material e moral sobre os circunstantes: afinal, não tendo conhecido "os prazeres femininos, o amor e a passividade espiritual, as ninharias dum sentimento ou dum capricho que nascem dessa euforia tirânica que as mulheres gostam de exercer sobre aquele a quem sabem ter dominado pelos sentidos [...], dedicou-se a evoluir, a subir, a desenvolver tentáculos de intrigas que favorecessem a sua decisão, que era engrandecer e, mais ainda, ser notável" (p. 69). E Capitu, para atingir o seu objetivo mais ardente: casar e ter o filho desejado. Ambas realizaram o seu desejo. Quina imperou enquanto viveu e Capitu teve Ezequiel, presumivelmente de uma relação amorosa com o melhor amigo de Bentinho.

É de notar que também neste particular as duas se aproximam: Capitu põe a perder o seu casamento e tudo mais que lhe estava associado ao realizar o sonho dourado, em razão do ciúme doentio que acende em Bentinho. E o declínio de Quina começa quando torna Custódio, fruto espúrio dum serviçal da condessa de Monteros, o seu filho postiço. Aqui e ali, agem como mulheres iguais às outras, ao menos em relação ao seu tempo e ao seu meio, para quem a maternidade era o mais sublime dos destinos, não importa que uma seja uma bruxa de quatro costados e a outra uma esfinge indecifrável, que uma fosse solteira e a outra, embora casada, se ligasse a Escobar apenas para ter um filho. Não é exagerado divisar nessa aparente ambigüidade caracterológica uma das razões da sua grandeza, ou uma das facetas que as tornam personagens redondas: aí mora um dos esteios da sua verossimilhança, da sua "humanidade", que a condição superior, ou distintiva, de sibila e de esfinge, mais ressalta.

Se em Capitu esse traço salta aos olhos do leitor, em Quina pode escapar a quem lhe percorre a narrativa com sofreguidão, mas não a quem for atento, mesmo porque é a própria narradora quem o diz com todas as letras, como a fazer, num rasgo de lucidez que recorda a psicologia da sibila, a síntese desta, remetendo-a de volta para um plano de realidade em tudo semelhante ao que dera origem à protagonista de *Dom Casmurro*. Diz ela, em dois passos do seu relato, como num estribilho lapidar: "o que havia em Quina de contradição, incoerência, era o seu profundo conteúdo humano; [...] Ela era, de resto, a mais profunda e inegável expressão do humano" (pp. 126, 288).

Terra-a-terra são as duas, Quina com mais razão, pois vive no campo: afinal o seu maquiavelismo pressupõe um fino senso político, ou de realidade, que os seus convivas não possuem, ao menos em tal dose. Maquinando o tempo todo, numa variação constante de ânimo e de estratégia, encobre de todos à sua volta o real objetivo em mira, e mesmo "as suas originalidades eram mantidas em mistério, apenas no âmbito das mulheres" (p. 59). Recorre a incontáveis estratagemas para atingir o seu alvo, desde o silêncio manhoso até a mentira ou a franqueza destemida e serena. Outro tanto se diria de Capitu: Bentinho, ingênuo e fantasista, nada pode fazer para lhe neutralizar a malícia, menos ainda para lhe desnudar as costumeiras mentiras.

Enquanto "a reflexão não era cousa rara" (p. 93) em Capitu, além de ser uma mulher de mil instrumentos (p. 205), prendada, como se dizia antigamente, dona de uma "arte fina" (p. 224) para resolver as coisas, Bentinho é o protótipo do ingênuo, e bem menos inteligente e culto do que ela. No capítulo XLII, por sinal intitulado "Capitu refletindo", Bentinho recorda que Capitu "olhava para o chão", mas na verdade "olhava para dentro de si mesma", enquanto ele "fitava deveras o chão, o roído das fendas, duas moscas andando e um pé de cadeira lascado" (p. 130). O cotejo entre ambos, mesmo que parcial, apenas lhes acentua a diferença de base, assim como ilumina ainda mais o caráter poliédrico de Capitu. Bentinho diz sonhar "às vezes com anjos e santos" (p. 129), e regral geral vivia acossado por sonhos e devaneios: "Fiquei ansioso pelo sábado. Até lá os sonhos perseguiam-me, ainda acordado, e não os digo aqui para não alongar esta parte do livro" (p. 158). E à pergunta que Capitu lhe faz se ele tinha medo de falar à mãe acerca dos seus propósitos comuns, reconhece que "aquela pergunta assim, vaga e solta, não pude atinar o que era" (p. 131).

Dominado por ela desde cedo ("Capitu segredou-me que a escrava desconfiara, e ia talvez contar às outras. Novamente me intimou que ficasse, e retirou-se; eu deixei-me estar parado, pregado, agarrado ao chão". p. 126), receoso, tímido, Bentinho era o seu antípoda em tudo, inclusive fazendo suspeitar da sua masculinidade: sabia que ela era "uma criatura mui particular, mais mulher do que eu era homem" (p. 111). Tanto que, após o primeiro beijo, "Capitu ergueu-se, rápida, eu recuei até à parede com uma espécie de vertigem, sem fala, os olhos escuros. Quando eles me clarearam, vi que Capitu tinha os seus no chão. Não me atrevi a dizer nada; ainda que quisesse, faltava-me língua" (p. 116); e "tinha estremeções, tinha uns esquecimentos em que perdia a consciência de mim e das cousas que me rodeavam, para viver não sei onde nem como" (p. 117). Frontalmente oposto a Capitu, ao passo que Escobar se parece muito com ela (caps. XCIII, XCIV, XCV, C), Bentinho enxergava em ambos a mesma "força obliterativa" (p. 192).

5. Se o último ato do drama de Capitu — ou da ópera que protagoniza, se nos lembrarmos de que Bentinho abraçara a idéia de que a vida não passava de uma ópera (cap. IX) — decorre após a morte de Escobar e o subseqüente recrudescer do ciúme doentio de Bentinho, a ponto de ele pensar numa forma criminosa de solucionar o impasse doméstico, o de Quina transcorre quando a saúde, começando a lhe faltar, "atingira um irremediável estado de declínio; ela não viveria muito mais. Tinham sido encontrados, no pulmão, vestígios bem cicatrizados duma afecção antiga" (p. 233). Sintomaticamente, a partir desse incidente a narrativa volta-se para fora da sibila, como se o seu retrato já estivesse de todo esboçado, ou antes, a significar que agora ela se dirigia para as pessoas e coisas ao seu redor, como que a despedir-se, ou como se a doença, paralisando-lhe a introspecção de bruxa, lhe permitisse ter os olhos abertos para o mundo circundante, com uma nitidez que antes não conhecera. Pode agora lembrar-se do pai como se fosse posse sua exclusiva, "se lhe agregava inteiramente, já não era o homem disperso por todos os prazeres", etc. (p. 247), ou "quase moribunda, ela sentia ainda um interesse vivo em observar aquele jovem que escrevinhava a sua receita, depois de soprar cuidadosamente o pó do toucador e atrever-se então a apoiar lá o braço" (pp. 251-2).

Enquanto isso, Capitu permanece a inarredável obsessão de Bentinho até o fim das suas memórias. É que os bruxedos de Quina se desvanecem quando cessam os seus efeitos, e todos em caravana se evaporam, como números de magia, quando a sua autora se despede da vida. Ao passo que a esfinge jamais deixa de nos atirar ao rosto o seu terrível enigma. Dir-se-ia que a grandeza de uma se cumpre no fio dos dias, enquanto a outra ultrapassa a própria vida, pois que a transcendera antes de conhecer o mistério da morte. Ambas tragicamente humanas, nietzschianamente humanas, inscritas num plano além do bem e do mal, mas diversas no destino que lhes coube.

Sem par nas respectivas literaturas, não é demais repetir, e concluir, as duas heroínas erguem-se como figuras simbólicas, raiando pelo nível do mito. Protótipos uma e outra, ao menos no limite da sua individualidade, para elas confluem as inúmeras personagens femininas que habitam a ficção portuguesa e brasileira dos últimos séculos. Basta pensar no abismo que se abre entre a ingenuidade da protagonista de A Morgadinha dos Canaviais e o maquiavelismo de Quina; ou entre a candura de Iracema, ou das moreninhas de Macedo, e o calculismo de Capitu. Mas, apesar disso, todas parecem feitas do mesmo barro e segundo um molde comum. Seria exagero entrever uma congenialidade substancial entre elas?

Capitu não poderia passar por uma lisboeta do seu tempo? Como se sabe, o Rio de Janeiro da segunda metade do século XIX, embora fascinado pelas novidades parisienses, seguia ainda os padrões de além-mar: os liames entre Lisboa e a capital do Brasil eram ainda estreitos e as trocas culturais, intensas. Lembre-se de passagem que Machado de Assis se casara com uma portuguesa e que o seu cunhado aqui fizera carreira nas letras. É bem verdade que a imigração, européia ou asiática, já estava em curso, mas também é certo que ainda não exercera todo o efeito social, econômico e cultural capaz de alterar aquele estado de coisas. E Quina, não poderia ser encontrada pela imensidão destes Brasis? Afinal, a D. Guidinha do Poço, no seu caráter impetuoso, varonil, ou Ana Terra, na sua fortaleza de ânimo, não lembrariam uma Quina rural brasileira, embora sem a mesma complexidade de sibila? Por fim, podia-se aventar a hipótese de refletirem todas a idéia da força do matriarcado: a inexistência, nas duas literaturas em causa, de personagens masculinas à altura de Quina e Capitu não induz a pensar, ao menos, em que a mulher ocupa o centro do universo social no mundo literário em que as heroínas se encontram?

Se, por um lado, não há dúvida que ambas parecem assemelhar-se a outras figuras mitológicas, clássicas ou modernas, por outro, é de acreditar que a sua irmandade radica no fato de pertencerem ao mesmo patrimônio cultural. Distanciadas no tempo e no espaço, bem como no caráter, aproximam-se no modo de ser, de sibila ou de esfinge, que somente num contexto sociocultural de raízes comuns poderia justificar-se. Uma, na província portuguesa, entre os fins do século XIX e metade do seguinte; a outra, no Rio de Janeiro imperial. Aquela, proprietária rural, a outra, pequeno-burguesa, não se parecem mais entre si do que, é de supor, com outras heroínas do romance pós-romântico em geral? Uma comparação que também as envolvesse poderia dar-nos uma resposta, mas isto é já outra história, na verdade constitui um enorme desafio, bem maior do que este que acabamos de enfrentar.

Notas

1. Machado de Assis, *Dom Casmurro*, Rio de Janeiro, Civilização Brasileira/INL, 1977, p. 68. As demais citações serão extraídas da mesma edição.
2. Agustina Bessa-Luís, *A Sibila*, 2ª ed., Lisboa, Guimarães Ed., s.d., p. 10. As demais citações serão extraídas da mesma edição.

10

Machado de Assis Cronista

1. A crônica ocupa, na obra de Machado de Assis, um lugar especial: estava, por assim dizer, no seu sangue; com ela se identificou de tal modo que, sem avaliarmos o papel que essa modalidade literária desempenhou ao longo da sua trajetória, corremos o risco de ficar com uma visão incorreta do seu perfil literário.

As primeiras experiências que saíram da forja machadiana foram, como se sabe, composições poéticas e tentativas de teatro. Quase ao mesmo tempo, as crônicas entraram a brotar-lhe da pena, com uma assiduidade que permanecerá durante muito tempo. Já em 1859, começavam a aparecer em *O Espelho*, e o hábito o acompanhará até 1900. A partir desta data, publicará em revista alguns contos, alguma crítica e pouco mais. Dá a impressão de que, ao deixar de lado a crônica, se afastava de tudo o mais, cansado, quem sabe, "de toda a humana lida", como disse no soneto "A Carolina", ou antevendo o fim, que não estaria longe.

Mais do que as outras formas de expressão estética, com exceção do conto, a crônica tornar-se-ia uma constante na carreira de Machado, em contraponto com o romance, a poesia, a crítica e a tradução. A crônica abrange considerável parte do seu espólio literário: além da seleção feita por Mário de Alencar, em 1914, sob o título de *A Semana*, as várias edições das suas obras completas, desde a primeira, da Editora Jackson (1937), agrupam numerosas crônicas. Raimundo Magalhães reuniu, entre 1956 e 1958, crônicas e contos dispersos numa série de 8 volumes, assim como Jean Michel Massa (*Dispersos de Machado de Assis*, 1965).

Não bastaria, evidentemente, a copiosa quantidade das crônicas machadianas para nos dizer da sua relevância. Era preciso que exibissem valor intrínseco; e este não lhes falta. Sem o seu estudo, os demais recantos da obra machadiana conservam em segredo alguns dos seus mistérios. Machado era tão medularmente cronista que os seus contos e romances traem essa propensão: são contos e romances de um cronista, ou seja, é das crônicas que parecia ele retirar a matéria-prima da sua ficção. A crônica serviu-lhe como um precioso posto de observação para o que acontecia ao seu redor, na sociedade fluminense, e no resto do mundo. Além disso, o exercício diário da escrita permitiu-lhe apurar o estilo, já então enriquecido no húmus dos clássicos diuturnamente compulsados, pela necessidade de ser claro e direto. Dessa mescla lhe veio a limpidez e a sutileza de mestre da língua.

Não raro, os seus contos têm o sabor de crônica, ou as crônicas, pela agudeza da observação e o brilho da imaginação, chegam a dar-nos a impressão de serem verdadeiros contos. Sabemos que tal intercâmbio é não só possível como recorrente na pena dos cronistas que fizeram nome na segunda metade do século XX, como Rubem Braga e outros. Mas já em Machado era visível: nas suas mãos, a crônica amadurece, ganha direitos de cidade, torna-se modelo para os que se lhe seguiram no seu cultivo.

Se há, pois, uma fonte primordial da crônica entre nós, esta é Machado de Assis. Trabalhando intensamente ao longo da vida, escreveu centenas delas, sempre com as qualidades superiores que o tornaram a nossa maior figura literária. Buscava, com o seu olhar penetrante, carregado de meditação e leituras, divisar o universal no cotidiano do seu tempo. Procurava no acontecimento do dia o permanente, aquilo que se lhe afigurava retratar a essência do ser humano. Contudo, nem sempre alcançou superar as limitações inerentes ao gênero. Mesmo porque, se o fizesse, estaria criando outra forma em prosa ou, ao menos, verdadeiros contos. As crônicas que publicou sob a rubrica "A Semana", e que se reeditaram com abundantes notas de rodapé (organização de John Gledson, 1996), apesar de encerrarem algumas das mais bem conseguidas que escreveu, constituem um bom exemplo disso.

2. Efêmera como o próprio jornal em que se insere, a crônica não resiste ao teste do livro: lida como matéria diária, ou semanal, fruto de notícias que logo envelhecem, a crônica murcha rapidamente. Terminada a sua leitura, mergulha no passado com velocidade semelhante à de qualquer notícia estampada no jornal. O tempo é a sua matéria e o seu carrasco: registrando acontecimentos palpitantes, ou contendo uma reflexão suscitada por eles, a crônica esvai-se com a mesma fugacidade do seu agente detonador. Virada a última página do jornal, ou da revista, a crônica é logo esquecida, e já na manhã seguinte, para não dizer no mesmo dia, não suporta releitura. Não escapa à voragem do tempo, que é, paradoxalmente, a sua maior razão de ser, como, aliás, revela o étimo da denominação. As crônicas machadianas, a despeito de exibirem densidade, não fogem a essa contingência, própria que é da sua intrínseca natureza.

Se algumas das enfeixadas nesse volume, que cobrem os anos de 1892-1893, agüentam bem a prova do livro, podendo ser lidas com prazer, ainda que um prazer levemente nostálgico, a maioria quando muito oculta algumas pérolas machadianas. E estas apenas são acessíveis ao leitor disposto a garimpar nas entrelinhas para atingir o objeto dos seus desejos. Se as ler com a despreocupação pedida pela crônica, o resultado será com certeza bem outro. Nem se diga que devem ser percorridas como documento histórico, pois que isto não basta, nem é o objetivo mais alto de quem as escreveu e de quem as lê. Claro que podem ser encaradas como tal, mas ao serem criadas, tinham outro destino, a fruição imediata do leitor da *Gazeta de Notícias*. O virtual entretenimento dos leitores futuros situava-se, obviamente, fora dos seus propósitos.

É que a crônica oscila entre a poesia e a reportagem: estimulado por um ou mais acontecimentos, o cronista deriva para uma breve narrativa ou para uma impressão subjetiva. Ali, caminha na direção da reportagem, aqui, do lirismo, à medida que um dos extremos prevalece. Num caso e noutro, é a força da imaginação que empresta matiz literário ao acontecimento. E por isso, não raro a crônica transforma-se em conto ou em prosa poética. Machado tende nitidamente para a narrativa, não só porque talvez uma vocação secreta de repórter aí se denunciasse, mas sobretudo porque o seu coração de ficcionista o requeria. Ao descortinar uma trama submersa no evento digno de registro, transfundindo-a numa narrativa quase fictícia, Machado mostrava que a realidade podia ser tão estranha quanto a mais desgarrada fantasia. É o caso, por exemplo, da famosa crônica em torno da "inauguração dos bondes elétricos" (18/10/1892), em que o diálogo imaginário entre os burros, ainda em uso como animais de tração, ganha ares de apólogo ou de conto. E deixava espaço para as costumeiras alusões históricas, filosóficas ou literárias, e para as anedotas ou casos que o autor extraía da memória e de outras fontes.

Machado recusa-se a fazer poesia do cotidiano, decerto porque a sua visão das coisas pedia menos o devaneio poético que a mimese do ficcionista. A estrutura das suas crônicas obedece, genericamente, ao mesmo padrão: ao começo, as notícias da semana que merecem relevo pelo impacto causado ou pelo tipo de leitor a que se destinavam; por fim, os comentários. Que tal organização estava longe de ser fortuita, prova-o a crônica de 4/12/1892: ao enaltecer "os povos que escrevem por linhas verticais", Machado considera-os felizes porque "podem arranjar as crônicas de maneira que os acontecimentos fiquem sempre em cima; a parte inferior das linhas cabe às considerações de menor monta, ou absolutamente estranhas. Moralmente, é assim que escrevo". Noutra crônica, desculpa-se ao leitor pelo fato de a sua "triste pena hebdomadária" não brilhar pela lógica, uma vez que "a regra é deixá-la ir, papel abaixo, pingando as letras e as palavras, e, se for possível, as idéias".

3. Pelas notícias, as crônicas de 1892-1893 valem como registro dos acontecimentos do período, como o Encilhamento, a questão política, etc. Mas é pelos comentários que podem ter algum interesse para o leitor de hoje que busca nesse gênero um passatempo ligeiro, uma observação mais inteligente, ou uma perspectiva do cotidiano que, sendo diversa da sua, possa enriquecer-lhe a visão das coisas. Em suma, nada que a ficção do próprio Machado não lhe possa proporcionar mais e melhor.

Fazendo comentários estribados no seu proverbial bom senso, Machado não esconde que o acontecimento momentoso lhe serve acima de tudo para as reflexões de velho relojoeiro com que de hábito pontua os seus contos e romances. Claro, o seu olhar atento alimenta-se do que se passa em derredor — não fosse ele um adepto do Realismo interior, detalhista e sutil —, mas os acontecimentos ostentam menos valor em si do que como sintoma da condição humana, a mesma condição humana que é a matéria fundamental de toda a sua obra literária. Colocadas as coisas nestes termos, podia-se dizer que as crônicas se prestavam como exercício de estilo e recolha de material para as suas narrativas de ficção.

É pena que não seja o contrário: lidas hoje, as crônicas machadianas não dissimulam que têm interesse histórico, pelo conteúdo, e estilístico, pela forma. Viraram, quando muito, documento. E por este aspecto são inquestionavelmente valiosas, mas não sei se muito mais do que os outros textos relativos aos mesmos assuntos, publicados contemporaneamente no mesmo jornal. A um texto literário, no entanto, pede-se que seja testemunho, se não mais do que documento, ao menos em pé de igualdade. Que o são também, parece evidente, sobretudo na camada implícita ou nos vínculos com a ficção que Machado elaborava naqueles meses. Por outro lado, é difícil imaginar que o leitor dos nossos dias, deleitado com as crônicas dos jornais e revistas, as procurasse pelo fato de constituírem vibrantes documentos de época.

Apesar das suas qualidades de estilo, erudição e senso agudo de observação, as crônicas semanais de Machado não conseguem disfarçar os cabelos brancos. Se o criador de Capitu fosse vivo, por certo haveria de sugerir ao leitor que fizesse a escolha do seu agrado, caso ele próprio não se lhe adiantasse, publicando as melhores, as capazes de vencer o desafio do tempo e de tornar-se dignas de perpetuação. Pois assim poderiam não só manter certo vigor como ainda resistir à austeridade sufocante do livro. Nem por ser quem é, Machado se exime de, como cronista, sofrer os azares do tempo. Continua a ser a nossa grande figura literária, mas seria pedir-lhe o impossível se esperássemos que as suas crônicas, não obstante as notórias qualidades, se diferençassem completamente das dos outros cultores do gênero, mantendo-se viçosas ainda hoje como então, há mais de um século.

Acrescente-se que o seu envelhecimento se deve também ao fato de não conterem, salvo as exceções de praxe, as sutilezas, os meios-tons, as ambiguidades que nos habituamos a encontrar nos seus romances e contos. Embora brilhe pela escorreição e agilidade, a linguagem das crônicas é mais referencial do que a prosa de ficção. E nem podia ser doutro modo. As frequentes alusões é que desempenham o papel de metáforas, cuja polissemia porém se desvanece tão logo o leitor se recorde da passagem aludida, ou recorra à nota explicativa. A alusão visa a explicitar, na verdade, o pormenor sugerido pelo acontecimento da hora e ao mesmo tempo mostrar-lhe a perenidade: nada de novo sob o sol, como lembra mais de uma vez o próprio cronista.

4. Traindo afinidades eletivas com Montaigne, nos comentários das crônicas Machado faz moralismo, ou filosofia moral. Aproximava-se assim da crônica-ensaio, nicho em que a coluna "A Semana" poderia enquadrar-se, não fosse tão ostensiva a importância do acontecimento submetido a glosa. Com alguma frequência, autênticos aforismos lhe saltam da pena, como se o destino dos seus comentários fosse ofertar semanalmente ao leitor um motivo de meditação e de aperfeiçoamento moral. "A mentira é a carne verde do demônio, abundante e de graça", sentencia ele, mas logo se apressa em informar ao leitor que não procure "isso em Bourdaloue nem Mont'Alverne. Isso é meu". E não satisfeito com alertar o interlocutor semanal, demora-se mais umas linhas a dizer que "quando a idéia que me acode ao bico da pena é já velhusca, atiro-lhe aos ombros um capote axiomático, porque não há nada como uma sentença para mudar a cara aos conceitos". Criava, sem o querer, um outro axioma para explicar o rejuvenescimento do velho aforismo, deixando transparecer dessa forma o viés que mais flagrantemente lhe espelhava o caráter de homem e de escritor.

É no fluxo dessa tendência para comentar filosoficamente o evento semanal que Machado dá mostras de possuir uma lúcida noção da crônica, sobretudo do seu caráter efêmero e relativo. Reportando-se à falência de uma companhia de biscoitos, declara, em tom de documento tabelional, que, "se algum dia for promovido de crônica a história, (...) além de trazer um estilo barbado próprio do ofício, não deixarei nada por explicar, qualquer que seja a dificuldade aparente", etc. E arremata significativamente, a evidenciar que tinha plena consciência das limitações do instrumento empregado todas as semanas para falar aos seus leitores: "Como simples crônica, posso achar explicações fáceis e naturais; mas a história tem outra profundeza, não se contenta de cousas próximas e simples. Eu iria ao passado, eu penetraria..."

5. A questão seria de profundidade, por conseguinte, como se por meio dela ficasse esclarecida a diferença essencial: enquanto a crônica é tragada pela voracidade do tempo, a História não, precisamente em razão de apenas registrar o que vale perdurar na memória dos povos. Faltava dizer que a crônica, ao perder o viço, pode assumir o estatuto de História se desenvolver outras características. Neste caso, porém, estaria fora do âmbito da Literatura, enquanto expressão dos conteúdos da imaginação. Machado reconhece que não singrava tais águas, nem queria fazê-lo, mesmo porque, diz ele com certa ironia, "a História é pessoa entrada em anos, gorda, pachorrenta, meditativa, tarda em recolher documentos, mais tarda ainda em os ler e decifrar".

Machado bem sabia o que continha o prato oferecido todas as semanas aos leitores da *Gazeta de Notícias*. E não só: difundia nele os ingredientes da receita que o fazem característico. Por outras palavras, tinha idéia cristalina das fronteiras em que se moviam os seus escritos semanais, a ponto de se poder desentranhar deles uma convincente teoria da crônica. As "cousas miúdas", vazadas num estilo oposto ao "grave e solene", constituem-lhe a matriz. A crônica deve "descer ao de leve" pelos assuntos, contrariamente, pois, ao modo "grave, soturno, trágico ou simplesmente enfadonho". O seu ofício "é contar semanas", numa "prosa nua e chã", "conversar tranqüilamente sobre os casos ocorridos, certo de não enfadar, porque o leitor tem a porta aberta para ir-se embora quando quiser", deixar-se seduzir pelo eventual "como um pedaço de mistério", inspirado sempre na "musa da crônica, musa vária e leve". Em suma, "os próprios diários são decrépitos. A primeira crônica do mundo é justamente a que conta a primeira semana dele, dia por dia, até o sétimo em que o Senhor descansou. O meu velho colega bíblico omite a causa do descanso divino; podemos supor que não foi outra senão o sentimento da caducidade da obra". Machado sabia bem do que falava e escrevia.

11

A Ironia e a Sutileza Machadianas no Conto

1. É sempre motivo de júbilo, e de aplauso, quando Machado de Assis volta à cena, como agora, na publicação de uma alentada reunião dos seus contos, em 2 volumes (*Contos*, org. de John Gledson, 1999). Contudo, se as palmas são demoradas, e em pé, a euforia ganha em vir acompanhada de crítica. Mesmo porque o protagonista vem ao palco mais de uma vez, e o espetáculo não é desses que esquecemos tão logo as cortinas se fecham. A sua complexidade é uma fonte de prazer e de convite à reflexão que se renovam a cada momento. E não só: reserva surpresas como uma caixa de Pandora, usando uma imagem meio desgastada, mas que seria certamente agradável ao criador de Capitu.

Pela extensão, a presente antologia difere de outras várias que os contos machadianos têm suscitado ao longo deste século. Compõe-se de 75 narrativas curtas, cobrindo praticamente todo o itinerário de Machado de Assis: a mais velha é de 1858, andava ele pelo fim da adolescência, e a última é de 1907, um ano antes da morte. Temos assim um amplo mostruário das facetas que o engenho machadiano desenvolveu no curso dos anos e das quase 200 narrativas que escreveu. Desse total, 16 não tinham sido republicadas depois de serem estampadas em jornais e revistas da época, o que põe à disposição dos leitores de hoje uma soma considerável de matéria praticamente inédita.

O critério que presidiu a elaboração da antologia, já implícito nesses dados, vem detalhado na longa introdução que o organizador preparou expressamente para essa edição. Os contos estão "em ordem cronológica, com base na data de sua primeira publicação". Além da escolha feita entre os contos dispersos e os demais volumes em que Machado de Assis enfeixou 76 contos, transcreve-se na íntegra *Papéis Avulsos*, "pois ele possui uma unidade peculiar, muito difícil de definir", no entender do organizador. Este, apensou notas de rodapé aos contos, por aludirem "a coisas que na época estariam perfeitamente claras, mas que hoje desapareceram da nossa memória coletiva".

O cuidado do organizador em adotar a melhor estratégia editorial está visível nesses pormenores, e mais se torna digno de nota se considerarmos que o texto dos contos lhe mereceu a atenção que um *scholar* rigoroso empresta à questão da fidedignidade ecdótica. Mas não deixa de suscitar algumas dúvidas, a principal das quais talvez seja a questão de se saber a que público se dirige a antologia. Depreende-se do que já assinalamos, desde a envergadura física da antologia até as minúcias da apuração textual, que o critério de qualidade nem sempre andou de mãos dadas com o critério de quantidade. Na verdade, o intuito era outro, digamos, mais universitário, com vistas a um público seleto. Considerando válida, à semelhança de outros críticos, a data de 1880 como o ponto de mutação da trajetória de Machado de Assis, começa ele por nos adiantar que "a primeira dificuldade com que se defronta o antologista é a de escolher entre os mais de oitenta contos escritos antes dessa nítida linha divisória". E a seguir nos informa qual foi o seu critério de seleção dos contos: "Para ser honesto, caso se tratasse meramente de uma questão de qualidade literária relativa, nenhum ou quase nenhum deveria aparecer". Então, por que os incluiu, se carecem de mérito? Se bem entendemos o critério, trata-se de oferecer matéria de estudo e de pesquisa, mais do que de fruição estética, como se vê pela observação que se segue àquelas: "excluí-los daria um retrato inteiramente falso do progresso de Machado, cujo fascínio em parte reside justamente nessa mudança repentina".

2. Ora, com todo o respeito ao critério adotado, até porque, graças a ele, podemos ter acesso a uma série de contos dispersos, parece-nos que não pode ser aceito sem reparos. Ao rejeitar aqueles 16 contos, como fizera com boa parte do seu legado, não os reunindo em volume, Machado de Assis confirmava, uma vez mais, o seu fino senso crítico. Dizia-se a si próprio, como se falasse aos leitores dos nossos dias que porventura folheassem o *Jornal das Famílias* e *A Estação*, revistas femininas onde muitos deles se estamparam, ou a *Gazeta de Notícias*, que não mereciam sair do arquivo morto para respirar em livro o ar das coisas vivas.

Com efeito, o organizador reconhece que alguns desses contos, publicados em 1864, são "estranhamente desajeitados"; e outros, escritos pouco antes de 1908, mostram "sinais evidentes de cansaço", denunciam "um certo desgaste na criação de enredos" e "a tensão da prosa sofre um relaxamento", sinal de que "Machado sofreu um declínio criativo no fim da vida". Na verdade, melodramáticos alguns, sentimentais outros, lineares a maioria, onde se diria pairar, notadamente nos primeiros, a sombra de Alencar ou mesmo de Macedo, não creio que acrescentem o mínimo brilho ao prestígio do Machado contista. Embora contenham traços das suas mais requintadas qualidades no gênero, essas narrativas cumpriam tão-somente a função de ameno entretenimento nas revistas e jornais onde se publicaram. E onde encontraram o seu limbo particular. E onde deveriam ficar, em paz, para o resto dos seus dias.

Alguém diria, e com razão, que um bom serviço presta quem as reuniu em volume, tornando-as acessíveis. Mas não se pode deixar de estranhar que as 16 narrativas fossem paginadas na seqüência cronológica, lado a lado com as demais que Machado reuniu em livro, como se possuíssem a mesma qualidade. Penso que se prestaria o mesmo serviço se elas fossem colocadas à parte, no final do 2º volume, onde o leitor mais afeito às lides da pesquisa as localizaria facilmente. E mais reafirmada estaria a tese acerca da evolução de Machado entre as suas primícias, em 1858, e 1880. Além disso, estaria justificada a inclusão de *Papéis Avulsos* na sua totalidade, por ser "a mais notável coletânea de Machado, a mais original e radical, embora não se possa dizer que todas as histórias sejam igualmente boas, ou mesmo que estejam entre as melhores". Não seria mais conveniente, em razão dessa mesma relevância, evitar a confusão a que podem ser induzidos os leitores perante os contos refugados, uma vez que se inserem entre as narrativas que compõem essa "notável coletânea"? Como está, não colidirá o argumento da quantidade com o da qualidade, criando desse modo um corpo anfíbio?

À semelhança das duas séries de crônicas que organizou, John Gledson também resolveu anotar os contos machadianos. Se o procedimento é correto, e digno de louvor, não é menos motivo de perplexidades: quais os passos ou referências que pedem explicação? Por isso, tal empenho sempre deixa margem a excessos, para mais ou para menos. E a presente edição não foge ao caso, já que se procurou não sobrecarregar o texto "com demasiada informação ancilar", ou seja, "visava-se ajudar o leitor, aumentar o prazer da leitura, e, certamente, não interferir no processo de interpretação que cada um realiza por si mesmo". Compreende-se, à vista do critério adotado, que se rememore o fundamento histórico de "Virginius", uma narrativa de 1864, que pertence ao rol dos 16 contos não republicados, mas nem tanto que se diga quem foi Tennyson ou Lamartine. Ainda que a informação a mais, no caso, não prejudique, chama-nos a atenção para o seu avesso, por exemplo, a falta de notas acerca dos nomes de ruas, talvez tão necessárias quanto aquela do conto referido. Aliás, o próprio organizador da antologia parece reconhecê-lo, ao frisar que "mudou a paisagem urbana do Rio de Janeiro, com suas ruas, lojas, teatros, igrejas — até os próprios morros foram derrubados". E mudou dum tal jeito que não julgo seja bastante um mapa (que parece fazer parte da antologia) para resolver as dúvidas levantadas pelos contos. Que leitor de hoje saberá onde fica a rua do Hospício, de Matacavalos, dos Cajueiros, dos Ourives, o Rocio, etc., etc.?

3. De qualquer modo, a vasta antologia devolve-nos os melhores contos de Machado de Assis. Quem não terá relido uma e mais vezes "A Cartomante", "Missa do Galo", "O Alienista", "Cantiga de Esponsais", dentre tantos outros, sempre com um renovado prazer, como se os percorresse pela primeira vez? Mesmo os contos que rendiam tributo à moda romântica resistem ao teste da releitura, como é o caso de "Miss Dollar". E a razão talvez resida no fato de, à maneira dos 4 primeiros romances de Machado, de inflexão romântica, conterem estilemas que serão constantes na fase madura do escritor. Daí a impressão de continuidade, ou mesmo de unidade, que a trajetória machadiana oferece. Apenas varia a tônica central: na primeira fase, a par de certa artificiosidade no andamento da narrativa, o autor parecia satisfazer-se com a aparência das personagens, vale dizer, do panorama social que lhe era dado observar. Afinal, dirigia-se as mais das vezes às leitoras das revistas femininas, e não raro escrevia ao correr da pena, decerto para engordar um pouco o irrisório salário de amanuense. O emaranhado das situações prevalece sobre a análise dos atores em cena e dos seus motivos recônditos. Daí que alguns contos se esparramem por várias páginas. Mas aí já encontramos as características que farão o prestígio de Machado como contista. "Miss Dollar" pode ajudar-nos a situar a questão: o figurante central é a cadela que dá nome ao conto. Tudo, personagens e conflitos, gravita ao seu redor, como um legítimo antepassado do cão que contracena em *Quincas Borba*.

Superado o impacto romântico, Machado transita para uma visão realista do mundo, não propriamente aquela que encontrava na ficção dum Eça ou dum Zola, marcada por certo pendor à fotografia, portanto, a um realismo de superfície, natural, ingênuo. O seu olhar, instrumentado por uma imaginação educada num decoro de clássicas ressonâncias, enxerga o para-além das aparências, a ambiguidade das trocas sociais, reflexo dos mistérios insondáveis da alma humana e indicativo dum realismo interior, reflexivo, analítico. O flagrante social, que a brevidade do conto permite e estimula, descortina o momento privilegiado em que seres comuns alcançam o lugar ao sol que os retira do anonimato próprio do dia-a-dia cinzento.

A intriga é, por isso, acessória, quando não irrelevante: as surpresas do dia-a-dia, evidentes nos desenlaces enigmáticos, é que interessam, como em "A Cartomante", ou o jogo psicológico que se esconde/se revela por trás dos diálogos carregados de duplo sentido, como em "Missa do Galo", ou a recorrência da mesma peripécia para caracterizar o irônico desequilíbrio das gentes, num clima saturado de brumas psicanalíticas, como em "O Alienista".

A grandeza dos contos machadianos começa nessa incomum capacidade de ver o instante revelador das figuras em conflito no seu aspecto mais dramático ou trágico. Machado vai diretamente ao ponto, não raro driblando as expectativas do leitor: por mais que este ponha a funcionar a sua imaginação, não consegue antever o desfecho da história. Mesmo nos contos que fluem naturalmente, como se fossem crônicas inspiradas no cotidiano banal, o desenlace é uma surpresa para o leitor. A necessidade da releitura pode ser a conseqüência imediata dessa brincadeira de esconde-esconde, como se o leitor, espicaçado, tivesse de voltar uma vez mais ao conto para surpreender os pormenores onde se ocultam as chaves que facultem prever o seu final. Um autêntico espetáculo hipnótico, vazado numa linguagem concisa, ática, com a falsa aparência de simplicidade, que somente os grandes contistas conseguem montar. Aí, em síntese, a mestria de Machado na arte do conto, e a sedução que exerce ainda hoje nos leitores, inclusive os mais exigentes.

Alinhava, assim, com Tchekov, Maupassant e outros que, na segunda metade do século XIX, emprestaram à narrativa breve uma distinção antes conhecida apenas esporadicamente. E como eles, praticou o exame microscópico da atualidade sua contemporânea, a sociedade fluminense, que observou com lentes agudas, penetrantes, apesar da miopia de que enfermava. O resultado é uma comédia humana carioca nos seus momentos mais característicos. Desenhada porém dum tal modo que nela se contemplam os paradigmas da sociedade burguesa da época. E não só: na sondagem do citadino miúdo, por vezes suburbano, Machado surpreende arquétipos universais, como se o Rio de Janeiro do seu tempo fosse o microcosmos onde se espelhava o ser humano de outras paragens e outros tempos. E tudo com o fino humor e a sutil ironia que constituíram as forças motrizes da sua cosmovisão, fartamente documentadas na antologia que ora vem a público.

12

Machado de Assis:
Um Modo de Ser e de Ver

1. Bons ventos têm soprado na direção de Machado de Assis nos últimos tempos. Parece que de repente se avolumou uma nova onda de interesse, adensando ainda mais o reconhecimento da sua grandeza como a maior figura das nossas letras. Agora é a vez de Alfredo Bosi lançar mais lenha à fogueira, com *Machado de Assis: O Enigma do Olhar* (1999), trazendo a sua contribuição ao melhor entendimento e à melhor avaliação do criador de Capitu.

O livro distribui-se por cinco capítulos, dos quais dois são inéditos e o último contém "Materiais para uma Genealogia do Olhar Machadiano", um copioso exemplário das possíveis fontes em que o escritor teria bebido a inspiração para o seu modo de ver a realidade social carioca dos fins do século XIX. Do *Eclesiastes* até Schopenhauer, passando pelo *Livro de Jó*, Maquiavel, Pascal, La Rochefoucauld, Padre Bernardes, La Bruyère, Vauvenargues, Helvetius, Matias Aires, a *Encyclopédie* de 1765, Adam Smith e Leopardi, alinha-se uma pequena, mas seleta e variada, galeria de obras e autores que teriam colaborado para se estruturar "a lógica imanente no olhar do observador".

Assim, à unidade do objeto, que é a obra de Machado de Assis, soma-se a unidade da substância moral e filosófica que teria enformado a visão do autor. Aí reside, com efeito, a tese que os quatro ensaios defendem, um dos quais de maneira explícita. "Uma Hipótese sobre a Situação de Machado de Assis na Literatura Brasileira", último estudo da série, conclui que o romancista nos mostra, na sua maturidade, não haver introjetado "nem as idéias dominantes no período da sua formação (romantismo conservador, liberalismo encruado para acumpliciar-se com o cotidiano político do Império), nem as correntes que circulavam, a partir de 70, em nosso meio cultural". Não era "nem conservador, nem evolucionista; nem positivista, nem cientificista, nem republicano, nem militante abolicionista, (...) educara o seu olhar em valores e modos de pensar que vinham da tradição analítica e moral seis-setecentista".

Muito haveria que dizer dessa tese, a começar do fato de ser, pelo menos, instigante, se me permitem o lugar-comum. Por mais que se possa concordar com o ensaísta nesse retrato em negativas, não há como evitar uma simples questão: que era, afinal de contas, Machado de Assis? Definir-lhe o caráter pela negação aonde nos pode levar? Estaria a resposta subentendida nas negativas? Teria sido, por conseguinte, progressista (= "não conservador"), monarquista (= "não republicano"), etc.? Se este é o caso, por que não o declarar afirmativamente? E se bem observamos, as negativas, sobretudo as que constituem o cerne da tese, bem como as suas possíveis raízes históricas, navegam genericamente ao largo das águas territoriais da Literatura: os valores e modos de pensar do escritor "vinham da tradição analítica e moral seis-setecentista". Com toda a certeza, não ocorreria a nenhum leitor imaginar que o ensaísta considera despiciendas as fontes propriamente literárias que teriam participado na formação da ideologia imanente no olhar de Machado. Todavia, esse mesmo leitor, buscando saciar a sua natural curiosidade, poderia indagar: por que não as enumerou? Seriam óbvias? Menos importantes?

O primeiro ensaio, cujo título dá nome ao livro, tem como núcleo "o significado da ficção machadiana", em razão de "um resíduo de insatisfação cognitiva e desconforto moral" que a leitura "dos melhores estudos sobre Machado" provocou no ensaísta. É o mais longo dos quatro estudos e o que mais suscita questões de método. "A Máscara e a Fenda", o ensaio seguinte, reproduz um prefácio aos contos de Machado de Assis, e o terceiro, "Uma Figura Machadiana", examina o *Memorial de Aires.*

2. A leitura dos quatro estudos ganha em ser feita à luz da tese que neles se difunde, assim como à luz do fundamento crítico, ou do tom, que a preside. O texto final do presente volume, sendo uma recolha de lugares seletos da possível genealogia do modo de ser e de ver machadiano, adia para outra ocasião o desafio que seria, admite o ensaísta, reconstituir o "modo de olhar" machadiano, uma vez que "seria preciso entender os encontros e os desencontros do moralismo clássico e jansenista (severo até o limite do pessimismo) e a concepção liberal-capitalista da natureza humana, que tentou, pela voz dos precursores da Economia Política, conciliar o cinismo do interesse individual com a hipocrisia da burguesia ascendente que celebrava como progresso do gênero humano a prosperidade da sua classe". A tese aqui se reafirma num tom de inabalável evidência, mas deixando para o leitor a expectativa de uma demonstração mais concludente da sua procedência.

Evidente fica também que a arte literária, ainda uma vez, corre o risco de ser entendida como mero epifenômeno, e que o horizonte crítico ou teórico dos ensaios cruza pela Economia Política. Sendo fastidioso acompanhar todos os momentos em que a argumentação se funda em conceitos de ordem sociopolítica, satisfaça-nos um que outro indício da coerência metodológica que se preserva até as derradeiras linhas, sustentada que é num "realismo aberto que não decrete *a priori* a exclusão de qualquer aspecto do real". Com esta idéia de "realismo" só podemos estar de acordo, mas quanto ao método empregado para o discernir, não estaria contaminado pelo mesmo *a priori*?

As vantagens e desvantagens do viés sociopolítico estão patentes nas observações ao conto "O Alienista". O ensaísta considera insatisfatório dizer que a narrativa "faz a sátira do cientificismo aplicado ao estudo da loucura". E a razão estaria em que "há nela um desenho claro de uma *situação de força*", manifesta no perfil de Simão Bacamarte: "Seu *status* de nobre e portador do valimento régio transforma-o em ditador da pobre vila de Itaguaí. (...) O eixo da novela será, portanto, o arbítrio do poder antes de ser o capricho de um cientista de olho metálico". Por isso, "o hospício é a Casa do Poder, e Machado sabia disso bem antes que o denunciasse a antipsiquiatria". Estaria aí a completa verdade do conto, o seu significado mais relevante?

3. Acontece que, diz o narrador do conto, "o Dr. Simão Bacamarte [é] filho da nobreza da terra", ou seja, de Itaguaí. Condição para ser ditador? Ditador de uma "pobre vila"? Não lhe bastava ser "filho da nobreza da terra", se isto tem algum significado para além do metafórico, e se para tanto serve ser nobre em Itaguaí? E que valimento régio podia amparar-lhe a vocação ditatorial se, como informa o cronista, ou seja, Machado de Assis, el-rei não pôde alcançar "dele que ficasse em Coimbra, regendo a Universidade, ou em Lisboa, expedindo os negócios da monarquia"? Todos os leitores se lembram da resposta inequívoca que "o maior dos médicos do Brasil, de Portugal e das Espanhas" deu ao monarca:

"— A Ciência, disse ele a Sua Majestade, é o meu emprego único; Itaguaí é o meu universo".

Em "O Alienista" há, na verdade, poder e poder. O da Ciência e o da Política. É certo que Bacamarte reúne condições para segurar as rédeas do poder político, já que é da nobreza da terra. Mas ele é acima de tudo, e com mais saliência, expressão do poder da Ciência, pois este lhe basta. Não fosse ele a encarnação do poder da Ciência, o conto se desmontaria como um castelo de cartas. Nem lhe bastaria que fosse apenas nobre. Sendo quem é, entende-se por que se recolhe na Casa Verde ao fim da narrativa, depois de lá internar quase todo o povo de Itaguaí.

Claro, pode-se dizer que ali o poder confinava os perigosos da ordem social por considerá-los dementes, mas Simão Bacamarte o exerce porque, e apenas porque, médico. Quando muito porque também nobre. Como poderia ele ser o detentor do poder político, um tirano, naqueles "tempos remotos" da colônia, se a Câmara exerce os seus direitos, se ele também acaba por encerrar-se na Casa Verde? Um dono do Poder o faria? Não sendo, obviamente, manifestação prenunciadora da antipsiquiatria, não seria antes de tudo uma caricatura impiedosa e certeira do poder que a ciência da alma já ostentava entre nós?

No auge da rebelião em Itaguaí, o governo passa para as mãos do barbeiro Porfírio, e este, observa o ensaísta, "procura o médico, interessado agora em angariar-lhe o poder que momentos atrás contestara a mão armada". Não é estranho que o rebelde vitorioso procure apoio no "ditador"? E procure-o depois que o "corpo de dragões" se rendera aos Canjicas sob a sua liderança, e "povo e tropa fraternizavam, davam vivas a el-rei, ao vice-rei, a Itaguaí, ao 'ilustre Porfírio'"? Até que "entrou uma força mandada pelo vice-rei, e restabeleceu a ordem". A pedido de Bacamarte? Este, durante a revolta, que é que fazia? "Escrutava um texto de Averróis". E o mais que fez ele, e fizeram os revoltosos, está no capítulo VI e seguintes. Mas é suficiente a ironia que Machado põe nas primeiras linhas em que delineia o perfil de Simão Bacamarte para nos convencer de que o pobre médico era um forte (se não o único verdadeiro) candidato à Casa Verde.

Afinal, a ridicularização da classe médica é um tema que vinha de longe, e Machado apenas o aclimatou a uma vila da comarca de Iguaçu para melhor exercitar o seu poder de ficcionista agudo e cético. Que se pode esperar de alguém que recusa o convite régio para emprestar o seu saber à Universidade ou aos "negócios da monarquia" a fim de regressar a Itaguaí e entregar-se "de corpo e alma ao estudo da Ciência"? Movia-o a ânsia de poder? Certamente. E de Poder? Quem sabe? Sim e não, diria obliquamente Machado de Assis, decerto suspeitando (se já não o sabia) que assim estaria mais próximo da verdade dos fatos. O poder da Medicina pode servir de acesso ao Poder, talvez saibam ou pretendam os seus praticantes. Mas um ditador que fosse médico, exercendo a tirania como médico, nos seus domínios propriamente científicos, é que seria inédito. Salvo a hipótese de aí se configurar o sonho dourado que a Medicina nutre desde sempre; nesta hipótese, porém, como não despencar nas sombras da loucura? Talvez Machado pensasse nisso ao criar o seu Quixote de Itaguaí.

4. Talvez seja, em última análise, uma questão de método. Os vários métodos críticos disponíveis, como se sabe, pedem que sejam aplicados a partir da natureza poliédrica dos textos literários. E não o contrário. Por isso não se pode empregar um só método no exame de todos eles, sob pena de a estratégia metodológica escolhida ser transformada em religião ou ideologia. Em tese, o método sociopolítico é tão válido quanto o estruturalista ou o psicossocial, referidos de passagem no livro. Um perigo, no entanto, espreita a qualquer um deles, quando adotado com exclusividade: o de reduzir os problemas textuais a uma só chave hermenêutica, imposta pela univalência das crenças ou convicções do crítico, e não pelo texto literário.

A análise de "O Espelho", levada a efeito um pouco depois de "O Alienista", sugere algumas reflexões nesse rumo. Jacobina, o protagonista da narrativa, diz aos seus amigos, "investigadores de coisas metafísicas", que há duas almas: a "alma interior" e a "alma exterior", que pode ser representada por "um espírito, um fluido, um homem, muitos homens, um objeto, uma operação". Um título e a farda de alferes lhe deram a "alma exterior" mais decisiva, como verificara quando Tia Marcolina sai para uma visita e os escravos fogem. A solidão desesperante apenas cessa quando se lembra de vestir a farda. E olhar-se ao espelho: lá via a "alma ausente com a dona do sítio, dispersa e fugida com os escravos". Sentia-se de novo inteiro; reconquistara a sua "alma exterior"; não era mais "um autômato, era um ente animado".

O tecido alegórico que garante a trama do conto deixa de ser encarado na sua polissemia, se apenas se empregar um dos métodos à disposição do crítico. Ao terminar o seu relato, Jacobina desce pelas escadas, seguido de Machado, como uma sombra. E o leitor com eles, abalado por sentimentos de perplexidade, nada incomuns quando se defronta com a comédia humana machadiana. É de notar, contudo, que Jacobina, praticando o direito de narrador da sua história, escapa ardilosamente ao questionamento dos seus interlocutores, deixando no ar tudo quanto dissera, desde a idéia da existência das duas almas até, retrospectivamente, o caso da farda de alferes, que lhe devolvia a "alma exterior" perdida, a integridade humana e a paz interna. Lembre-se que ele experimentara a troca da "alma exterior" em outras ocasiões, como a nos afiançar que temos, ou podemos ter, várias "almas exteriores". Mas uma só "alma interior": "as duas completam o homem, que é, metafisicamente falando, uma laranja. Quem perde uma das metades, perde naturalmente metade da existência".

Decerto, Machado não teria nada a acrescentar ao epílogo suspensivo, assim como Jacobina: à imagem e semelhança do seu criador, o herói é lacônico, prefere-se "calado, pensando, cochilando (...). Não discutia nunca; e defendia-se da abstenção com um paradoxo". Evadindo-se pelas escadas, livra-se da interpretação que da sua história pudessem fazer os demais convivas. Talvez soubesse ou desconfiasse que a idéia das duas almas e o caso da farda de alferes não só tinham inúmeros significados como constituíam a ponta de uma vasta problemática da condição humana. Como sempre, Machado levanta o véu das aparências, nunca porém o bastante para nos exibir o que lhe vai nas entranhas.

Daí que se possa assentir com o ensaísta em que, com "O Espelho", "não poderia ter descido mais fundo a teoria do papel social como formador da percepção e da consciência". Mas com uma ressalva: a riqueza alegórica do conto solicita, pelo menos, o seu complemento dialético. Em nota à p. 103, dá ele sinais de o reconhecer, declarando ter atentado para "a marcação da *consciência pessoal* do narrador que evoca e analisa a sua fixação em tipo social". Pena que não inserisse no seu lugar próprio o complemento pedido pela sua interpretação do conto, mesmo porque o ensaio onde ela se encontra, como informa em nota final, "conheceu mais de uma versão", tendo prevalecido, "com algum retoque, [a] primeira delas". Se o tivesse feito, não saltaria aos olhos todo o reducionismo do método empregado na investigação da obra machadiana?

Em boa parte, Jacobina é o pai da confusão, ao dizer que, com o título que lhe foi atribuído, "o alferes eliminou o homem". Eliminou ou completou o homem? Se aí se aloja a tese do conto, onde fica a "alma interior"? Como eliminar o homem, em vez de o completar, se ele possui duas almas? Não creio que se possa tomar a frase senão como um dos paradoxos que faziam as delícias do Jacobina e, evidentemente, do autor da narrativa. Como tomar ao pé da letra que "o alferes eliminou o homem", como o ensaísta dá mostras de fazer, se o título e a farda de alferes constituem uma das possíveis "almas exteriores" e, portanto, uma das infinitas possibilidades *humanas*?

Não se perderá o múltiplo sentido simbólico que Machado imprime no seu mundo ficcional, se não levarmos em conta que a "alma exterior", correspondendo ao universo das coisas sociais, e que a "alma interior", equivalendo ao que vai na mente de cada um, representam metades indispensáveis à unidade do ser? Um método único para o interpretar não seria como adotar um livro único, um catecismo único, para julgar todas as coisas entre a terra e o céu? Enfim, não estará Machado de Assis, em "O Espelho", e mesmo em "O Alienista", simplesmente pondo em xeque o determinismo mecanicista que a ciência do seu tempo, meio às cegas, apregoava?

13

"O Alienista": Paródia do Dom Quixote?

1. O humor à inglesa, ou a ironia, em mescla ou não, e por vezes derivando para sátiras de fina textura, é como se sabe uma das características marcantes do estilo e da cosmovisão de Machado de Assis, já fartamente analisada e comentada pelos críticos e historiadores que se debruçaram sobre o seu legado. Por meio dela, ou nela encontrando o ambiente mais propício ao seu desenvolvimento, manifesta-se um ingrediente peculiar à ficção machadiana, notadamente a da fase realista: a ambigüidade, ou antes a polissemia, não raro inextricável. O caso de Capitu não é obviamente o único enigma que deparamos nos anos de maturidade criativa do autor de *Dom Casmurro*, mas é por certo o mais visitado pelos leitores e o que mais resiste à análise dos investigadores. O caso de Simão Bacamarte, protagonista de "O Alienista", pode ser considerado o seu correspondente no território do conto: ainda que outras narrativas curtas exibam as mesmas tendências apontadas, creio não exagerar se disser que o episódio de Itaguaí, pelas sutilezas caleidoscópicas das suas camadas semânticas, leva o refinamento delas a um nível sem par.

Um dos sinais disso pode-se divisar nas tentativas de interpretação do conto, ora focalizando às pressas e simplificadamente o seu problema central, fundadas na idéia de que o texto constituía um reflexo mecânico do seu tempo, ora procurando vislumbrar na crônica de Itaguaí propósitos sociopolíticos que traem uma visão reducionista, ideológica, do texto literário. Alguém poderia objetar que essas e outras possibilidades de leitura são perfeitamente legítimas, uma vez que suscitadas pela própria narrativa machadiana. Por mais razão que possam ter, esquecem-se de que tais enfoques, pelo seu caráter unilateral, reducionista, não atentam para a rica polivalência semântica de "O Alienista". Enxergam algumas árvores sem descortinar a floresta.

Já no enredo a complexidade de significados da narrativa se evidencia, apesar de encoberta pela aparente linearidade, como se o propósito do narrador fosse despistar os leitores, espicaçar-lhes a curiosidade e adiar-lhes a plena satisfação da leitura até a derradeira linha. O tom da narrativa é dado pelo truque de imaginar que as peripécias do conto se fundamentam na verdade das crônicas: "As crônicas da vila de Itaguaí dizem que em tempos remotos...". E que, portanto, ao narrador cabia a função de trazer à luz um episódio histórico soterrado no pó dos manuscritos. É nessa atmosfera de aparente respeito à letra dos documentos que encontramos logo às primeiras linhas a chave para lhes interpretar o conteúdo. Ao convite do rei para que "ficasse em Coimbra, regendo a universidade, ou em Lisboa, expedindo os negócios da monarquia", Simão Bacamarte responde com palavras terminantes, que deixam transparecer um germe de arrogância:

"— A Ciência, disse ele a Sua Majestade, é o meu emprego único; Itaguaí é o meu universo."[1]

Como se pode compreender que alguém, depois de estudar em Coimbra e Pádua e de tornar-se "o maior dos médicos do Brasil, de Portugal e das Espanhas" (*idem*), recuse categoricamente tal aceno, ainda mais vindo de Sua Majestade, para se enfurnar numa vila perdida na longínqua colônia a fim de concentrar-se na Ciência? A resposta nos é dada pela narrativa, incluindo a síntese biográfica que se faz nas primeiras linhas. Mas a resposta ao rei já nos fornece os principais dados para a sua melhor interpretação e, por conseqüência, de toda a intriga: formando um binômio simbólico, de um lado, temos a Ciência, e com maiúscula inicial, como emprego único; de outro, Itaguaí, vilazinha da comarca fluminense de Iguaçu, é o universo de Simão Bacamarte.

À grandeza olímpica da *Ciência* corresponde simetricamente a do *universo* representado pela escolha geográfica do médico, mas os dois pólos de magnitude são acompanhados, como se fossem qualificativos, de correspondentes sinais de relatividade: *emprego* é o que é a Ciência, e *Itaguaí* é o universo de Simão Bacamarte. Dois absolutos em parelha, mutuamente implicados, cada um com o seu relativo, num contraste inesperado, habilmente expressos numa fórmula meio aforística, que mal chama a atenção ao primeiro contacto. De qualquer modo, a perplexidade do leitor, ou antes, a sensação de estranheza, ou mesmo de presenciar uma cena de absurdo, a um gesto sem explicação razoável, — que permanecerá indelével no curso da narrativa — já se configura nesse momento em que Simão Bacamarte sela para todo o sempre, perante o Rei, o seu destino.

2. Quase uma análise linha a linha seria necessária para dar conta dos vários lances e pormenores que vão confirmando a impressão inicial. Passando por cima de uma circunstância significativamente humorística, — o casamento do médico aos 40 anos, "com D. Evarista da Costa e Mascarenhas, senhora de vinte e cinco anos, viúva de um juiz-de-fora, e não bonita nem simpática", mas que "reunia condições fisiológicas e anatômicas de primeira ordem, digeria com facilidade, dormia regularmente, tinha bom pulso, excelente vista" (*idem*), — fixemos a nossa atenção nos aspectos mais importantes da existência de Simão Bacamarte.

O conto decorre nos tempos coloniais, provavelmente na segunda metade do século XVIII. Tempos áureos, graças às minas que expeliam das suas entranhas o metal que sustentava os luxos da Corte em Lisboa e graças ainda aos ventos de progresso que anunciavam o advento da hegemonia da Razão, com todas as suas promessas, no bojo do Iluminismo. Nesse quadro, o herói machadiano era um espécime sem par, porquanto "não havia na colônia, e ainda no reino, uma só autoridade em semelhante matéria, mal explorada, ou quase inexplorada": "o recanto psíquico, o exame da patologia cerebral" (p. 180). Tal singularidade, além de sutilmente denunciar o atraso da medicina em Portugal naqueles tempos, é de suma importância para se compreender o desenrolar da narrativa. E para explicar o porquê de algumas análises redutoras que se têm feito do procedimento do analista, implacável não só em captar a presença de desequilíbrio mental entre os habitantes de Itaguaí, como em determinar a reclusão dos doentes na Casa Verde. Era o único alienista daqui e d'além-mar, para o bem e para o mal. Como duvidar dos seus diagnósticos, se os pacientes e o povo em geral não conheciam parâmetros que pudessem conter garantias de opinião? Afinal, se no entender dele "a saúde da alma (...) é a ocupação mais digna do médico" (p. 180), quem poderia, em sã consciência, oferecer-lhe resistência?

Por outro lado, a sua concepção da "patologia cerebral", sendo a que se ocupa da "saúde da alma" e, de resto, a que vigorava então, avizinhava-se estreitamente com áreas não-científicas. Meio bruxo, meio vidente, o alienista escorava-se nos textos árabes, pois era um "grande arabista" (p. 181), notadamente o Alcorão, onde achou "que Maomé declara veneráveis os doudos, pela consideração de que Alá lhes tira o juízo para que não pequem" (p. 182). Ato contínuo, fez gravar a idéia "no frontispício da casa; mas como tinha medo ao vigário e por tabela ao bispo, atribuiu o pensamento a Benedito VIII" (*idem*). Esse medo ao catolicismo inquisitorialmente obtuso é do alienista, e a sátira à Medicina (e não só daqueles tempos), somente pode ser da responsabilidade do narrador/autor: que Ciência é essa baseada em textos religiosos e temente da Igreja? Como conciliar a idolatria da Ciência com esses fundamentos e com esse temor? Não estranhará nada, por isso, que se pense numa concepção de Ciência, ou mais especificamente da Medicina, como Teologia. E uma Teologia puxada à superstição, eivada de magia e de esoterismos, de modo a tornar os seus oficiantes verdadeiros magos, ou astrólogos, alquimistas, adivinhos.

Em compensação, Simão Bacamarte infundia pavor como se fosse um deles, mesmo porque era, ou parecia ser, essa a imagem que projetava ao seu redor com os diagnósticos taxativos, onde flutuavam certezas de bruxo ou vidente. Nem lhe faltou ir diretamente ao ponto, para esclarecer "o mistério do seu coração" (p. 183) ao boticário Crispim Soares, "um dos seus amigos e comensais" (p. 180). Depois de lhe confessar que a caridade cristã participava da sua conduta de médico (p. 183), acrescenta, num tom que imediatamente associamos ao da resposta a el-rei:

"O principal nesta minha obra da Casa Verde é estudar profundamente a loucura, os seus diversos graus, classificar-lhe os casos, descobrir enfim a causa do fenômeno e o remédio universal. Este é o mistério do meu coração. Creio que com isto presto um bom serviço à Humanidade" (p. 183).

Como pode ser mistério tal intuito, ainda mais um mistério do coração, se ele engloba tudo quanto a Ciência mais rigorosa endossaria em qualquer tempo? Por que o alienista o considera mistério? Sem com isso adiantar demasiado as coisas, diríamos que tal mistério, declarado com todas as letras e com a lucidez que a plena consciência dita, pode ser, parafraseando Freud, o conteúdo expresso de um mistério latente, inclusive, obviamente, para quem o confessa de modo tão franco.

Mal realizado o objetivo do alienista, "de todas as vilas e arraiais vizinhos afluíam loucos à Casa Verde. Eram furiosos, eram mansos, eram monomaníacos, era toda a família dos deserdados do espírito" (p. 183). Poetas de inflexão gongorizante, loucos por amor, fanáticos religiosos, megalomaníacos, eram alguns exemplares da fauna que ia lotando aos poucos o hospício. A paciência de Simão Bacamarte não tinha fim, "na verdade, a paciência do alienista era ainda mais extraordinária do que todas as manias hospedadas na Casa Verde" (p. 185), anota o narrador, com aparente indiferença, desvelando cautelosamente o véu que encobria o mistério do coração de Simão Bacamarte.

Em pouco tempo a Casa Verde passou a ser guiada por um regimento aprovado pela Câmara de Itaguaí, tornando-se, no dizer do alienista, "uma espécie de mundo, em que há o governo temporal e o governo *espiritual*" (p. 186). Notemos que, além de aí retornar a idéia de reflexo da realidade do mundo, o vocábulo "espiritual" está grifado, como se a ênfase retórica ocultasse múltiplos significados, não sendo o menor o fato de a observação ter sido feita ao vigário, o Padre Lopes, que "ria deste pio trocado" (*idem*).

A conseqüência maior desse avanço no mundo da Casa Verde é, de um lado, que o alienista agora se via "desonerado da administração" (*idem*), podendo dedicar-se de corpo inteiro à classificação dos enfermos e aos medicamentos que pudessem curá-los. E de outro, que o narrador pode concentrar-se no alienista, anotando-lhe o "metal de seus olhos (...), duro, liso, eterno" (p. 187), "um olhar inquieto e policial" (p. 189), "um olhar que metia medo aos mais heróicos" (p. 190), "um par de olhos agudos como punhais" (p. 196), um olhar "nublado de suspeitas, de ameaças e provavelmente de sangue" (p. 201). Mais uma vez acode-nos à lembrança a resposta a el-rei, cuja essência aos poucos se nos vai desvendando.

Além disso, sabe-se que Simão Bacamarte já havia amealhado uma fortuna com o estipêndio que a Câmara resolvera conceder-lhe pelo trabalho na Casa Verde. E é impressionada com as arcas abarrotadas de "montes de ouro, (...) mil cruzados sobre mil cruzados, dobrões" (p. 189), que D. Evarista parte em jornada ao Rio de Janeiro, acompanhada de algumas pessoas, dentre as quais a mulher do boticário. Vertia ela "lágrimas abundantes e sinceras", que não abalavam o ânimo do consorte: "Homem de Ciência, e só de Ciência, nada o consternava fora da Ciência" (p. 189).

Ao tom velado de sátira à Ciência, ou aos seus cultores fanáticos, acrescenta o narrador, após a partida da comitiva, uma observação rica de significado. Diz ele:

"Crispim Soares, ao tornar a casa, trazia os olhos entre as duas orelhas da besta ruana em que vinha montado; Simão Bacamarte alongava os seus pelo horizonte adiante, deixando ao cavalo a responsabilidade do regresso. Imagem vivaz do gênio e do vulgo! Um fita o presente, com todas as suas lágrimas e saudades, outro devassa o futuro com todas as suas auroras" (*idem*).

Seria despropositado divisar nesta passagem o sinal mais eloqüente de que "O Alienista" pode ser considerado uma paródia do *Dom Quixote*? Não parece que vemos o cavaleiro da Mancha e o seu fiel escudeiro, um visionário, o outro, realista, aquele, voltado para o futuro, este, para o presente? Nem falta ao boticário o senso comum característico de Sancho Pança, como na ponderação feita ao alienista quando este acoimava de mania das pedras o fato de Mateus, que acabara "de construir uma casa suntuosa, (...) postar-se à janela, bem no centro, vistoso, sobre um fundo escuro, trajado de branco, atitude senhoril, e assim ficava duas e três horas até que anoitecia de todo" (p. 197).

Simão Bacamarte responde ao terra-a-terra do seu amigo e comensal com o seu culto (teologal) à Ciência: "nem a Ciência é outra cousa, Sr.

Soares, senão uma investigação constante" (p. 191). Ou põe ênfase numa duplicação — "a Ciência era a Ciência" (p. 195), como se se referisse a uma entidade divina, ou a um saber absoluto e venerável, apenas acessível a uns raros, escolhidos pelos dotes especiais de clarividência. Ou declara em tom de quem, do alto da sua genialidade, se dirige ainda e sempre a um público ignaro:

" — Meus Senhores, a Ciência é cousa séria, e merece ser tratada com seriedade. Não dou razão dos meus atos de alienista a ninguém, salvo aos mestres e a Deus" (p. 209).

Armado dessa crença, e dos segredos invioláveis ao comum dos mortais, não estranha que causasse medo nos circundantes, mesmo porque entre eles grassava o respeito religioso à Medicina, e por via dela, à Ciência em geral. É conduzido pela certeza de que detinha nas mãos um poder que a Ciência lhe conferia que ele propõe uma "nova teoria" (p. 193). Segundo ele, "a loucura (...) era até agora uma ilha perdida no oceano da razão; começo a suspeitar que é um continente", ou seja, "no conceito dele a insânia abrangia uma vasta superfície de cérebros" (p. 191). Entre conceber a loucura em escala universal e transmitir a sua idéia aos convivas foi um passo, que o alienista deu gostosamente, falando, primeiro que tudo, ao boticário, que recebeu a boa nova com "um nobre entusiasmo" não muito depois de pensar que era "extravagante" (p. 192). Como se detectasse os pensamentos ocultos do seu interlocutor predileto, o alienista explica o seu propósito partindo de uma metáfora:

"Supondo o espírito humano uma vasta concha, o meu fim, Sr. Soares, é ver se posso extrair a pérola, que é a razão; por outros termos, demarquemos definitivamente os limites da razão e da loucura. A razão é o perfeito equilíbrio de todas as faculdades; fora daí insânia, insânia e só insânia" (p. 193).

Embora pareça plausível, por ter em vista balizar os limites da razão e da loucura, a teoria peca pelo seu radicalismo e por pressupor que se saiba o que seja a razão (salvo se a teoria for tomada como uma definição) e como se manifesta, além de desprezar as zonas de fronteira. Além disso, a loucura não se apresenta oposta à saúde mental, mas à razão, como se esta e a saúde mental fossem a mesma coisa. Por último, a razão não é entendida como uma das faculdades, mas como um supremo poder da mente.

Bem analisada, a teoria move-se no espaço dos sofismas, o que, aliás, fazia parte do repertório científico da época e parecia ecoar a filosofia iluminista vigente. A teoria põe de fora a emoção, ou a inclui nas faculdades sem o declarar, mas neste caso a razão não se opõe a nenhuma outra instância da mente, sendo o nome do equilíbrio das faculdades. Estamos portanto diante duma tautologia, ou dum pensamento circular: onde houver equilíbrio das faculdades, temos a razão; e o império da razão significa o equilíbrio das faculdades. A insânia seria a ausência da razão, ou o desequilíbrio das faculdades, como se uma excluísse a outra, ou como se qualquer desequilíbrio das faculdades mentais apontasse para a loucura, e o seu equilíbrio fosse necessariamente produto da razão.

O vigário Lopes, a quem foi confiada logo a seguir a teoria nova, "declarou lisamente que não chegava a entendê-la, que era uma obra absurda; e se não era absurda, era de tal modo colossal que não merecia princípio de execução". Em suma:

"— Com a definição atual, que é a de todos os tempos, acrescentou, a loucura e a razão estão perfeitamente delimitadas. Sabe-se onde uma acaba e onde a outra começa. Para que transpor a cerca?" (p. 193).

Como se descobrisse na réplica clerical, com o seu antagonismo às novidades científicas e o seu tom dogmático, que dá por conhecida a diferença entre razão e loucura, um sintoma análogo aos tantos que observava no povo de Itaguaí, Simão Bacamarte contém-se, inflado de superioridade e astúcia:

"Sobre o lábio fino e discreto do alienista roçou a vaga sombra de uma intenção de riso, em que o desdém vinha casado à comiseração; mas nenhuma palavra saiu de suas egrégias entranhas" (p. 193).

Com o seu olho invisível presente ao diálogo, o narrador fecha a cena entre o herói e o vigário com palavras que não deixam dúvida quanto ao pensamento secreto do alienista, ao mesmo tempo que uma vez mais põe à mostra o substrato do seu psiquismo:

"A Ciência contentou-se em estender a mão à Teologia, — com tal segurança, que a Teologia não soube enfim se devia crer em si ou na outra. Itaguaí e o universo ficavam à beira de uma revolução" (*idem*).

O tom de sátira é patente: como se os extremos, ou antes, duas teologias se tocassem eletricamente, a ver qual delas açambarcava o domínio das mentes de Itaguaí, estava tudo preparado para um conflito. A caravana de doentes recolhidos à Casa Verde era de tal ordem, e por motivos tão banais, como é o caso do Costa, que emprestava dinheiro sem usura (p. 194), que a Casa Verde foi considerada "um cárcere privado" (p. 198). Quem o disse era "um médico sem clínica", o que desde logo atenua a opinião injuriosa por esconder possíveis sentimentos de inveja. Mas embora o alienista dissesse que "só eram admitidos os casos patológicos" (*idem*), não conseguiu evitar os boatos, as "versões populares" (*idem*), de variada natureza, chegando mesmo a acreditar-se em "vingança, cobiça de dinheiro, castigo de Deus, monomania do próprio médico, plano secreto do Rio de Janeiro com o fim de destruir em Itaguaí qualquer gérmen de prosperidade que viesse a brotar, arvorecer, florir", etc. (pp. 198-199).

Observe-se que cada uma das alternativas guarda uma hipótese pertinente, desde o vulgar sentimento de vingança até os sinais de insatisfação popular que confluíra para a Inconfidência mineira. Por fim, o terror instala-se em Itaguaí na seqüência desses boatos, até o momento em que a acusação de que Simão Bacamarte praticava "tirania" nasce na boca do povo: "— Abaixo a tirania! / — Déspota, violento, Golias!" (p. 203), antecipando-se desse modo aos críticos que o consideram um tirano, um ditador e nada mais.

Ora, tal evidência — ainda mais que oriunda da voz do povo — não significa necessariamente que aí reside o significado central do conto. Pode-se dizer que exatamente por estar tão à vista, não deve ter fundamento: seria despojar Machado de Assis das sutilezas habituais admitir que estaria meramente retratando, segundo estereótipos ainda remotos no seu tempo, a sanha autoritária dum ditador barato de uma vilazinha sul-americana. Não estará o visionarismo meio delirante de Simão Bacamarte mais para o Quixote do que para um tiranete de ópera bufa?

O fato de aí se poder vislumbrar o embate entre a Política e a Ciência não altera a situação que o conto focaliza. Afinal, o próprio barbeiro o confirma ao dizer que presenciava um "despotismo científico" (p. 205). Mas, como a provar que nem isto era provável, o alienista desiste dos honorários que recebia da Câmara para tratar dos doentes de Itaguaí, pois "nenhum interesse alheio à Ciência o instigava" (*idem*). E se algum erro porventura cometeu, para o demonstrar "era preciso alguma cousa mais do que arruaças e clamores" (*idem*), pensa o alienista, ou o narrador por ele.

Não obstante, estoura a "revolta dos Canjicas" (p. 207), levando 300 pessoas às ruas, para derrubar a Casa Verde, "essa Bastilha da razão humana" (p. 206), no dizer do barbeiro, usando uma "expressão que ouvira a um poeta local" (*idem*). Pode-se, com isso, datar com certa precisão a narrativa para depois de 1788-1789, anos da Revolução Francesa, que eventualmente teria inspirado não só o poeta como o povo de Itaguaí, e portanto depois da Conjuração Mineira (1789).

3. Enquanto lavrava a rebelião, o que fazia o alienista? Importa que o saibamos para dirimir possíveis dúvidas acerca da relação de causa e efeito que alguns comentadores viram nos momentos que abalaram a paz da pequena vila fluminense. Pois "o ilustre médico escrutava um texto de Averróis" (p. 207), o que não só atestava ainda uma vez quais eram as fontes dos seus conhecimentos, como também, e acima de tudo, que os seus olhos estavam "cegos para a realidade, videntes para os profundos trabalhos mentais" (*idem*), a confirmar a sua dedicação exclusiva à Ciência, como fizera notar ao monarca português antes de se recolher ao sossego de Itaguaí.

Não é, por conseguinte, a Política que lhe interessa, nem mesmo ainda o poder que a atividade em seu nome representa. Outros figurantes revelam que, na verdade, os seus olhos miravam tais paragens, como é o caso do barbeiro que, no ápice da revolta, "sentiu despontar em si a ambição do governo" (p. 209). Daí assumir a liderança do movimento sedicioso que tencionava derrubar a Casa Verde e apenas foi detido pela chegada de um corpo de dragões. Ao contrário do que pensariam os insurretos, os dragões é que se renderam. E não só isso; por fim, "povo e tropa fraternizavam, davam vivas a el-rei, ao vice-rei, a Itaguaí, ao 'ilustre Porfírio'" (p. 211). Seguiram-se "os vivas ao barbeiro, os morras aos vereadores e ao alienista" (*idem*). Em breve tempo, a Câmara cai e o barbeiro é aclamado "Protetor da Vila em nome de Sua Majestade e do povo" (p. 212).

O déspota, portanto, era simplesmente o barbeiro, a tal ponto que o boticário, renegando a amizade com o alienista, se bandeia para o seu lado. O diálogo que se trava a seguir entre Simão Bacamarte e Porfírio constitui o nervo central desses acontecimentos operísticos. O barbeiro é de opinião que os internos da Casa Verde, na sua maioria, "estão em seu perfeito juízo, mas o governo reconhece que a questão é puramente científica, e não cogita em resolver com posturas as questões científicas" (p. 216). Apanhado de surpresa, o alienista não encontra saída senão confessando o seu assombro: "esperava outra cousa, o arrasamento do hospício, a prisão dele, o desterro, tudo, menos..." (*idem*). Será que o ilustre médico blefa? Seja como for, hesitando no modo como representava o seu papel, o barbeiro declara que "A generosa revolução que ontem derrubou uma Câmara vilipendiada e corrupta, pediu em altos brados o arrasamento da Casa Verde; mas pode entrar no ânimo do governo eliminar a loucura? Não. E se o governo não a pode eliminar, está ao menos apto para discriminá-la, reconhecê-la? Também não; é matéria de Ciência" (*idem*).

Além de se contradizer no tocante à sanidade mental dos ocupantes da Casa Verde, Porfírio respeita a Ciência, como a discernir, com inusitada lucidez, que se tratava de território onde a Política não entra, a não ser pela força. Como o alienista continuasse a exercer o seu ofício, "o povo indignou-se" (p. 218), determinando a queda de Porfírio, não depois de ele tentar manter-se no governo por um decreto abolindo a Casa Verde e desterrando o alienista, e a passagem do governo para as mãos de um rival seu, o barbeiro João Pina. "Nisto entrou na vila uma força mandada pelo vice-rei, e restabeleceu a ordem" (p. 218).

E com ela o trabalho de Simão Bacamarte aumentou consideravelmente — "Tudo era loucura" (p. 219) —, chegando ele a recolher à Casa Verde a sua própria esposa, enferma de "mania sumptuária" (p. 221). Atingindo tal cúmulo de isenção científica, neutralizava de vez os pobres argumentos dos adversários e desafetos. "O Assombro de Itaguaí" chama-se o episódio seguinte, pelo fato mesmo de que "os loucos da Casa Verde iam todos ser postos na rua"

(p. 222). E a razão de tão inusitada decisão o alienista expunha num ofício à Câmara, em que dizia, entre outras coisas, que a experiência com os dementes confinados no hospício resultara na "convicção de que a verdadeira doutrina não era aquela, mas a oposta, e portanto que se devia admitir como normal e exemplar o desequilíbrio das faculdades e como hipóteses patológicas todos os casos em que aquele equilíbrio fosse ininterrupto" (p. 222).

Como se sabe, a Câmara rendeu-se aos argumentos de Simão Bacamarte, graças à demonstração dessa honestidade sem igual. Em conseqüência, passaram a agasalhar-se na Casa Verde todos "que se achassem no gozo do perfeito equilíbrio das faculdades mentais" (p. 225), ao contrário, pois, do que antes ocorria. Em outras palavras, a loucura correspondia ao equilíbrio das faculdades mentais, e a razão (ou a sanidade mental), ao seu desequilíbrio. De qualquer modo, descoberta "a verdadeira patologia cerebral" (p. 227), "os alienados foram alojados por classes" (p. 228).

4. Se ali (e noutros aspectos do conto) se diria ressoar o *Elogio da Loucura*, de Erasmo de Roterdam, aqui parece que vemos reproduzidos em Itaguaí os círculos infernais da *Divina Comédia*, de Dante. Num caso e noutro, Itaguaí é um microcosmos, igual a todos os outros onde os seres humanos se reúnem para viver: Machado de Assis tem os olhos voltados para uma vilazinha insignificante, mas enxerga, ou busca surpreender, no que ali acontece, a miniatura simbólica de um estado de coisas universal e atemporal.

Como devolver a saúde aos novos hóspedes da Casa Verde, foi o problema que imediatamente se levantou para o alienista. A solução logo lhe veio à mente, configurada num sistema infalível, segundo o qual "cada beleza moral ou mental era atacada no ponto em que a perfeição parecia mais sólida; e o efeito era certo" (p. 231). E o resultado era fácil de imaginar: "No fim de cinco meses e meio estava vazia a Casa Verde; todos curados!" (p. 232). O alienista estava radiante: "não havia loucos em Itaguaí; Itaguaí não possuía um só mentecapto" (*idem*). O desenlace é conhecido: achando "em si os característicos do perfeito equilíbrio mental e moral [,] pareceu-lhe que possuía a sagacidade, a paciência, a perseverança, a tolerância, a veracidade, o vigor moral, a lealdade, todas as qualidades enfim que podem formar um acabado mentecapto" (p. 234), decidiu, "alegre e triste, e ainda mais alegre do que triste" (*idem*), internar-se na Casa Verde, onde se dedicou "ao estudo e à cura de si mesmo" (*idem*), e onde "morreu dali a dezessete meses, no mesmo estado em que entrou, sem ter podido alcançar nada" (pp. 234-235).

Afinal, reconhecia ele, e sugere Machado com a finura peculiar, era o único demente em Itaguaí, como evidenciara desde o momento em que respondeu sobranceiro a el-rei por que razão se recusava a ficar no Reino para voltar à sua vilazinha de origem. Num mundo em que o interesse, nas suas infinitas modalidades, predomina, o que poderia denotar uma tal inteireza de caráter e de amor à Ciência? Mas o inesperado diagnóstico nascia de uma subversão conceptual praticada pelo alienista, como um *alter ego* do narrador; mudada a teoria, mudou a realidade; o que antes parecia loucura, acabou não sendo; e o que antes se considerava sanidade mental passou a ser sinônimo de loucura. Como sempre, a ironia, o humor machadiano, fundado na ambigüidade, no duplo ou múltiplo sentido das palavras e dos conceitos, aqui mais uma vez se mostra, de forma inesperada, alcançando um refinamento raro, quer nos contos, quer nos romances. Talvez não seja exagerado dizer que uma tal perspicácia analítica, numa densidade que persiste ao longo de toda a narrativa, Machado não logrou em nenhum dos outros escritos ficcionais.

5. O tema da loucura, que está presente em vários dos seus contos e romances, parece muito propício a esse jogo semântico habilmente conduzido, mas é em "O Alienista" que o escritor o trata com uma tão aguçada lucidez e um senso de premonição que causam espanto no leitor mais atento. O conto transcorre, como vimos, na última década do século XVIII, ou, mais precisamente, nos anos seguintes a 1789, estando o País ainda sujeito a Portugal. Se algum respeito à chamada "verdade histórica" se pode vislumbrar nas andanças do ilustre médico de Itaguaí, é apenas em nome de uma contextualização simbólica: a Machado não interessa fazer uma narrativa histórica, como era vezo no romantismo de Walter Scott e outros; não é a veracidade dos acontecimentos históricos que estava nos seus propósitos. Como sabemos, tinha ele os olhos abertos para a realidade ao seu redor, mas o alvo estava mais distante e mais alto. É a significação simbólica dos transes, decerto imaginários, que agitaram a pequena Itaguaí, que tinha em mira. Longe de escrever uma narrativa histórica, Machado retrocede no tempo para melhor enxergar o objeto do seu desejo: pintar um quadro tão atual, ou mesmo tão perene, quanto possível da Ciência, e das suas repercussões sociais.

É a Medicina, notadamente a Psiquiatria, o seu terreno de eleição, mas o conto, escrito em 1881 e publicado no ano seguinte, e ambientado no último quartel dos tempos coloniais, ainda não se beneficia dos estudos de Freud e da Psicanálise. O clima em que foi redigido e em que transcorreu é ainda o dominado pelos estudos e teorias de Charcot e outros que o precederam, constituindo uma psiquiatria positivista, quando não eivada de preconceitos e falsas idéias. O cenário é nitidamente pré-freudiano, mas com sinais de antevisão da mudança representada pela sondagem nos desvãos da mente. O aspecto premonitório, ou se se quiser "moderno", da obra machadiana ainda aqui se observa com toda a sua densidade. O alienista parece fazer introspecção, por dever de ofício e por uma espécie de incomum característica moral e científica: descobre em si a suprema e fatal perfeição, como apogeu da arrogância desafiadora em que se metera, à maneira da auto-análise, incluindo a interpretação dos próprios sonhos, que permitiu a Freud formular a teoria que lhe emoldura o nome e lhe confere um lugar de honra no panteão dos homens que marcaram o século XX.

Machado fazia a sátira, uma crítica sagaz, ferina, embora indireta, à Psiquiatria em voga até os seus dias. A tal ponto sobe a contundência da sátira que, como sublinha com razão um dos machadianos mais percucientes, "'O Alienista', sob a sua aparência leve e um tanto caricata, encobre a sátira mais feroz de toda a sua obra"[2]. Machado descortinava o fundo falso do conhecimento da ciência da mente, a ponto de se inverter, no desfecho do conto, a teoria que distinguia os maníacos dos saudáveis: afinal, não eram aqueles os loucos, como pareceu a Simão Bacamarte, ao estabelecer-se em Itaguaí, repleto das melhores intenções, — mas estes. Se os maníacos eram tantos a ponto de lotar a Casa Verde, despovoando a vilazinha, a estatística induzia a pensar que constituíam a normalidade, visto constituírem a maioria, democraticamente considerada. A loucura somente poderia ser o inverso, concluiu o alienista, e guiado pelo mesmo raciocínio (o outro seria considerar loucos todos os mortais), chega à conclusão imediata que era ele a exceção e, por conseguinte, o único que devia encerrar-se na Casa Verde.

A atualidade da visão machadiana, ou a prefiguração dum estado de coisas que se tornaria crítico no âmbito da Psicanálise ou da Psicologia em geral, é evidente: no seu afã de ser preciso e determinado como pedia a Ciência mais rigorosa, Simão Bacamarte encontra maníacos em toda a parte, exatamente como a chamada "indústria da psicologia" em nossos dias. O pensamento de uma estudiosa, em livro recente dedicado ao assunto (Tanna Dineen, *Manufacturing Victims*, 1999), foi sintetizado por um crítico, em artigo publicado no periódico *Guardian*, com as seguintes palavras:

"Para sobreviver, terapeutas precisam de pacientes, que 'criam' ao rotular todas as idiossincrasias de personalidade como 'desordens'. De acordo com esta lógica perversa, todo mundo acaba sendo 'anormal'. O mercado potencial da terapia, portanto, acaba sendo o mundo inteiro"[3].

Não parece que a carapuça serve perfeitamente ao ilustre alienista de Itaguaí? Não é de hoje, aliás, que essa mania dos psiquiatras e psicólogos tem sido objeto de censura. Num livro do começo do século, consagrado ao estudo das patologias na obra de Machado de Assis, um especialista na área lembra o parecer de um autor francês que, "defendendo Tolstói do diagnóstico de loucura assim escreve: É um erro considerável. Isto decorre de haver, entre os alienistas, uma verdadeira mania de ver manias em toda a parte e em tudo"[4].

6. A crítica à Psiquiatria guardava um alcance maior, e agora se dirigia conscientemente para os últimos decênios do século XIX: como já fizera na análise demolidora a *O Primo Basílio*, publicada em 1878, pouco antes da redação de "O Alienista", Machado zombava do determinismo científico e mecanicista em voga no seu tempo e dos escritores que o aceitaram como a extrema e definitiva verdade. Como se sabe, trilhando nas pegadas da medicina experimental de Claude Bernard, preconizavam Taine e Zola e outros a transposição do modelo científico, de laboratório, para o exame da realidade contemporânea por meio da ficção. E o resultado é sobejamente conhecido: para os naturalistas, seguidores de Zola, a sociedade contemporânea, de estrutura burguesa, enfermava de males crônicos, necessitados de urgente correção. E achavam que a denúncia literária que faziam, estribada na ação determinante da herança, do meio e das circunstâncias, poderia contribuir para o saneamento social. Mas entendiam que todo o corpo social apresentava mazelas que o levariam inevitavelmente à degenerescência, bem como à destruição do sistema político vigente (a Monarquia) e dos fundamentos morais e religiosos (a Igreja), além dos sociais (a Burguesia), em que se apoiava.

Em suma: a teoria científica concretizava-se em teses, e estas eram empregadas no texto ficcional como dogmas indiscutíveis. A conseqüência foi que a patologia social que exibiam nos romances e contos não era constituída de exceções, mas de uma regra: para que a tese se sustentasse, era preciso mostrar que a sociedade toda estava condenada à falência; ou por outra, defendiam que o organismo social ostentava males físicos e morais sem cura, salvo com a mudança do sistema político, religioso, moral e social que lhes servia de base. O que isto gerou é, também, consabido: nesse percurso circular, os ficcionistas viam na realidade social do seu tempo apenas o que a teoria lhes ensinara, ou que absorveram sem maior reflexão crítica; enxergavam nos seres e nas coisas da realidade do seu tempo a projeção da teoria, ao invés de depreender deles a "verdade" empírica que pudesse originar a teoria de que partiam ou outra análoga.

Machado satiriza, pois, o amor cego à Ciência comum ao seu tempo, na esteira do Positivismo, mas também o amor cego à Ciência que fizera Simão Bacamarte rejeitar os benefícios do rei para se asilar em Itaguaí, sem saber que ali encontraria o seu purgatório: em nome dela, peregrinou em círculo, sem descanso, noite e dia, numa invulgar dedicação, até ingressar por livre e espontânea vontade na Casa Verde. Não curara os seus doentes, é certo, mas descobrira em si as faculdades que o haviam impelido para a realização do seu destino. Se o autoconhecimento é o maior e o melhor dos bens, ele finalmente o conquistara. A Ciência havia sido, com efeito, a sua Dulcinéia: por ela, perdeu o juízo, mas perdeu-a ao curar-se, numa ambigüidade paradoxal que jamais se resolve, assim como não se sabe onde termina a saúde mental e começa a loucura, e vice-versa. Assim é "O Alienista", assim é o *Dom Quixote*.

Notas

1. Machado de Assis, *Memorial de Aires — O Alienista*, S. Paulo, Cultrix, 1967, p. 179. As demais citações serão extraídas da mesma edição.
2. Augusto Meyer, *Machado de Assis*, 2ª ed., Rio de Janeiro, São José, 1952, p. 62.
3. Dylan Evans, Estudo ataca a "indústria da psicologia", *O Estado de S. Paulo*, 12 de setembro de 1999, p. D10.
4. Dr. Luiz Ribeiro do Vale, *Psicologia Mórbida na Obra de Machado de Assis*, 2ª ed., Rio de Janeiro, Tip. Lit. Pimenta de Melo e Cia., 1918, p. 150. O livro constitui a edição comercial da dissertação defendida pelo autor na Faculdade de Medicina do Rio de Janeiro, em 10 de novembro de 1917 (cf. J. Galante de Sousa, *Fontes para o Estudo de Machado de Assis*, 2ª ed., Rio de Janeiro, INL, 1958, p. 70). O estudioso francês é Ossip Lourié, autor de *La Psychologie des romanciers russes du XIXe Siècle*, de onde foi extraída a referência a Tolstói, em francês no texto citado.

14

Outras Facetas da Obra Machadiana

1. Além do conto, do romance e da crônica, Machado cultivou, como se sabe, a crítica, a poesia e o teatro. Tão variada gama de intervenção literária talvez resultasse das solicitações comuns ao tempo. Mas também indicaria uma procura de caminhos: veremos no momento oportuno que as três últimas manifestações se limitaram a um período mais ou menos determinado. De forma que, ao encontrar Machado o seu modo próprio de escritor, acabaram sendo relegadas a segundo plano, até não mais lhe ocuparem a atenção. A crítica o interessou praticamente desde o começo da sua atividade jornalística, o que lhe permitiu desde cedo revelar as qualidades que o haveriam de distinguir nos quadros literários do século XIX. "O Passado, o Presente e o Futuro da Literatura", ensaio publicado em *A Marmota* (Rio de Janeiro, 9 e 23 de abril de 1858), é um exemplo flagrante disso: exibe uma inteligência crítica nada comum à época, sobretudo se levarmos em conta que o autor ainda não completara vinte anos.

Deveria ter ele percebido, no entanto, que o exercício da crítica envolvia questões de coerência nada fáceis para alguém, como ele, que enfrentava o seu ofício com uma inalterável seriedade precocemente despertada. Além disso, a veia imaginária, a rara capacidade de observar a sociedade do seu tempo e de captar as forças profundas que a conduziam, impeliam-no a dedicar-se à sua própria obra em vez de criticar a alheia. Para ser um crítico ainda mais vigoroso, consistente e atuante, era preciso inverter os dados do problema, sacrificando as horas que destinaria aos seus próprios escritos para se debruçar inteiramente sobre a produção literária em curso.

Nenhum demérito lhe advém disso. Antes pelo contrário: por mais acuidade crítica que tenha manifestado, compreendeu em tempo que o seu projeto literário envolvia outros horizontes que não aqueles abertos pela crítica. Foi um crítico de altos qualificativos, mas soube em tempo que aí não estava a sua missão principal. Coerente como crítico, será coerente quando se afastar dessa atividade para se consagrar à sua obra de criação. Que tinha uma nítida idéia do que fosse a função da crítica e da exclusividade que ela reclama, mostra-o num ensaio precisamente intitulado "Ideal do Crítico", publicado no *Diário do Rio de Janeiro* (8 de outubro de 1865), que ainda hoje tem validade nas suas linhas gerais.

Machado abre com uma premissa de valor permanente, pondo ênfase na dificuldade de se exercer o ofício crítico, pois requer algo mais do que o gosto de falar ao público. De onde ser praticada, não pelos dotados de capacidade, senão pelos incompetentes, que confundem a oratória com o ato de julgar:

"Exercer a crítica, afigura-se a alguns que é uma tarefa fácil, como a outros parece igualmente fácil a tarefa do legislador; mas, para a representação literária, como para a representação política, é preciso ter alguma coisa mais que um simples desejo de falar à multidão. Infelizmente é a opinião que domina, e a crítica, desamparada pelos esclarecidos, é exercida pelos incompetentes"[1].

Decerto a montar um silogismo com base nesses pressupostos, Machado entra a considerar as conseqüências óbvias "de uma tal situação" (*idem*), tendo em vista compor o decálogo do bom crítico ou da boa crítica. Se o intuito é estabelecer "a crítica fecunda, e não a estéril, que nos aborrece e nos mata, que não reflete nem discute, que abate por capricho ou levanta por vaidade", sentencia ele, — "estabelecei a crítica pensadora, sincera, perseverante, elevada" (*idem*). Por outras palavras, — "condenai o ódio, a camaradagem e a indiferença, — essas três chagas da crítica de hoje", pondo em seu lugar — "a sinceridade, a solicitude e a justiça". E a conclusão será imediata: "— é só assim que teremos uma grande literatura" (*idem*).

Enunciada a grande síntese do que seja a crítica fecunda, Machado põe-se a arrolar as qualificações que o "crítico do futuro" deverá reunir: primeiro, visto que "o crítico atualmente não prima pela ciência literária", ou seja, pelo conhecimento das teorias que fundamentam o seu exercício, "cumpre-lhe meditar profundamente sobre [a obra], procurar-lhe o sentido íntimo, aplicar-lhe as leis poéticas, ver enfim até que ponto a imaginação e a verdade conferenciaram para aquela produção". E a razão disso está em que a "crítica é análise, — a crítica que não analisa é a mais cômoda, mas não pode pretender ser fecunda" (p. 88). Diríamos que tal noção de crítica, considerando-a sinônimo de análise, não pode ser aceita sem restrições, mas a ilação que dela Machado tira não pode ser mais lúcida: sem a análise, o desmonte da obra nas suas partes constituintes, desde as maiores até as microscópicas, o trabalho da crítica torna-se demasiado cômodo, porque atento mais à opinião do que ao julgamento da obra. A análise estaria implícita no conhecimento da ciência literária, que Machado reputa, com toda a razão, essencial ao exercício crítico.

Para não deixar dúvidas quanto ao seu pensamento, explica ele com a clareza de expressão que lhe conhecemos desde sempre, "que não basta uma leitura superficial dos autores, nem a simples reprodução das impressões de um momento". E acrescenta que se pode, "é verdade, fascinar o público, mediante uma fraseologia que se emprega sempre para louvar ou deprimir; mas no ânimo daqueles para quem uma frase nada vale, desde que não traz uma idéia, — esse meio é impotente, e essa crítica negativa" (*idem*). Não parece que está a refutar a crítica impressionista?

Da suspeita para a confirmação é um passo, que dá origem ao parágrafo seguinte, aberto com uma assertiva que se diria bebida nos filósofos da linhagem kantiana: "Não compreendo o crítico sem consciência". Ou seja, de modo mais terminante e conciso: "A ciência e a consciência, eis as duas condições principais para exercer a crítica", de modo que "a crítica útil e verdadeira" será aquela que "procure reproduzir unicamente os juízos da sua consciência". Consciência moral, está visto, mas no sentido mais elevado possível, uma vez que a crítica há de ser independente, "deve ser sincera, sob pena de ser nula. Não lhe é dado defender nem os seus interesses pessoais, nem os alheios, mas somente a sua convicção, e a sua convicção, deve formar-se tão pura e tão alta, que não sofra a ação das circunstâncias externas" (*idem*).

2. Estabelecidos os princípios básicos, Machado passa a tratar das suas decorrências, "tão necessárias como [eles], ao exercício da crítica". A primeira delas é a *coerência*, que somente "o crítico verdadeiramente consciencioso" (p. 89), incapaz de se "impressionar por circunstâncias estranhas às questões literárias", pode praticar. Evita, com isso, que se transforme em "oráculo dos seus inconscientes aduladores". Em suma, "o crítico deve ser independente, — independente em tudo e de tudo, — independente da vaidade dos autores e da vaidade própria". Equivale a dizer que, "para que a crítica seja mestra, é preciso que seja imparcial, — armada contra a insuficiência dos seus amigos, solícita pelo mérito dos seus adversários" (*idem*).

Agregue-se que "a tolerância é ainda uma virtude do crítico. A intolerância é cega [...], nada produz que tenha as condições de fecundo e duradouro" (p. 90). E passando da teoria ao exemplo, diz Machado, com a modelar pertinência de sempre, que "pode haver um homem de bem no corpo de um maometano, pode haver uma verdade na obra de um realista". De onde a outra condição da boa crítica — a *urbanidade*: "Uma crítica que, para a expressão das suas idéias, só encontra fórmulas ásperas, pode perder as esperanças de influir e dirigir". Machado não podia ser mais lúcido e coerente. E prossegue, no mesmo tom e no mesmo diapasão: "Moderação e urbanidade na expressão, eis o melhor meio de convencer; não há outro que seja tão eficaz" (*idem*). "Se a tudo isto juntarmos — conclui Machado — uma última virtude, a virtude da perseverança, teremos completado o ideal do crítico" (p. 91). Em síntese, o ideal do crítico estaria em

"Saber a matéria em que fala, procurar o espírito de um livro, descarná-lo, aprofundá-lo, até encontrar-lhe a alma, indagar constantemente as leis do belo, tudo isso com a mão na consciência e a convicção nos lábios, adotar uma regra definida, a fim de não cair em contradição, ser franco sem aspereza, independente sem injustiça" (p. 91).

Sem o dizer expressamente, Machado seguiu à risca o seu decálogo, como evidenciam os textos em que praticou a crítica. Uns poucos exemplos poderão ser suficientes para o demonstrar, dos quais o mais flagrante nos é fornecido pela conhecida crítica a *O Primo Basílio* (*O Cruzeiro*, Rio de Janeiro, 16 e 30 de abril de 1878), ainda hoje um modelo de crítica, e tão certeira que provavelmente obrigou Eça a reformular a sua visão da literatura.

O cerne da crítica é composto pelas restrições ao tipo de realismo adotado pelo escritor português, como vimos já no capítulo em que se examinavam os vínculos do romance de Machado com a corrente hegemônica no seu tempo. Mas Machado não se restringe a censurar esse "realismo implacável, conseqüente, lógico, levado à puerilidade e à obscenidade"[2]. Aponta outros defeitos do romance, como "a palavra de calculado cinismo" (p. 110) com que o protagonista arremata a obra, seguindo nas pegadas do Padre Amaro. Tal reincidência, além de rebuscada, "tem um ar de *clichê*; enfastia" (*idem*). Ademais, a semelhança com o núcleo dramático de *Eugênia Grandet*, o romance de Balzac, é muito notória para passar despercebida, a ponto de uma personagem o assinalar no próprio romance queirosiano. Do mesmo passo, lembra Machado, o Conselheiro Acácio é "transcrição do personagem de Henri Monnier" (p. 114).

Quanto à heroína, Luísa, "é antes um títere do que uma pessoa moral" (p. 111), que "resvala no lodo, sem vontade, sem repulsa, sem consciência" (*idem*). Daí que "Basílio não faz mais do que empuxá-la, como matéria inerte que é" (*idem*). Em suma, "o fato inicial e essencial da ação, não passa de um incidente erótico, sem relevo, repugnante, vulgar" (pp. 111-112), que daria fim à narrativa tão logo Basílio, enfastiado, voltasse para Paris, Jorge, o marido, regressasse do Alentejo, e assim "os dois esposos voltavam à vida anterior" (p. 112). Por outras palavras, "tirai o extravio das cartas, a casa de Jorge passa a ser uma nesga do **Paraíso**; sem essa circunstância, inteiramente casual, acabaria o romance" (p. 118). "Para obviar a esse inconveniente — acentua justamente Machado — o autor inventou a criada e o episódio das cartas, as ameaças, as humilhações, as angústias e logo a doença e a morte da heroína" (p. 112). Desse modo, conclui o autor,

"a substituição do principal pelo acessório, a ação transplantada dos caracteres e dos sentimentos para o incidente, para o fortuito, eis o que me pareceu incongruente e contrário às leis da Arte", ou seja, "o defeito da concepção do Sr. Eça de Queirós, é que a ação, já despida de todo o interesse moral, adquire um interesse anedótico, um interesse de curiosidade" (p. 118).

Recorde-se que Eça deve ter sentido o golpe que lhe era desfechado com serenidade e justeza pelo confrade brasileiro, a ponto de inclinar a sua bússola estética noutra direção. Na altura em que Machado lhe censurava o mau passo, andava ele às voltas com a redação de *Os Maias*, que prometera entregar ao editor em 1880. Mas em vez de o fazer, passou-lhe às mãos uma breve narrativa, publicada em dois folhetins sucessivos, sob o título de *O Mandarim*, centrada numa situação fantástica, em tudo por tudo contrária ao áspero realismo dos primeiros romances. É bem possível que a escrita do romance que trazia em mãos deixasse de ser tão fluente, tão nítida na sua armação realista, depois da crítica de Machado, uma vez que *Os Maias* viriam a público em 1888, em meio a outras obras que denunciavam a inflexão acusada pela narrativa do mandarim assassinado em má hora pelo amanuense lisboeta. Questão aberta, essa da influência de Machado sobre Eça, mas o suficiente para induzir um estudioso, Alberto Machado da Rosa, a intitular com a seguinte interrogação — *Eça, discípulo de Machado?* (1963), — um substancioso ensaio a seu respeito.

A coerência machadiana entre o ideal do crítico e a crítica ao romance de Eça salta aos olhos, dispensando-nos de examinar outros pormenores desse ensaio ainda hoje válido e de repassar outros artigos, como o dedicado ao *Instinto de Nacionalidade*, que já referimos noutra altura, ou à *Nova Geração*, publicado na *Revista Brasileira* (Rio de Janeiro, 1º dezembro 1879), um longo ensaio em que focaliza, com os mesmos cuidados e sob as mesmas condições, a "nova geração poética" surgida naqueles anos, "viçosa e galharda, cheia de fervor e convicção"[3]. Era o seu canto de cisne; ainda viria a praticar uma vez ou outra a crítica, mas consagrará o mais do seu tempo à produção de romances e contos, sem descurar, é certo, das outras formas de intervenção.

3. Dentre elas, a poesia, que ele cultivará com mais intensidade entre 1855, data da sua primeira composição, até meados da década de 70, talvez porque ainda não inteiramente definido nos seus propósitos ou porque o influxo romântico, no qual o lirismo desempenhava relevante papel, ainda pesasse muito. A verdade é que, com a publicação de *Americanas*, em 1875, Machado encerrava, quase por completo, a sua carreira de poeta, bem como atenuará a dispersão de energia para se dedicar aos preparativos da fase madura da sua produção, inaugurada em 1881 com as *Memórias Póstumas de Brás Cubas*.

Para o criador de Capitu, a poesia teria representado, portanto, um estágio transitório entre as tentativas do começo e a obra mais densa. A um só tempo fruto da mocidade ainda indecisa, tributo à moda imperante, resposta a apelos da sensibilidade naturais à idade, seria relegada a segundo plano quando se desse conta de que não lhe constituía o instrumento mais adequado de expressão estética. A tal ponto que, se a sua trajetória se interrompesse em 1875, a imagem que dele nos ficasse diversa seria da que nos é fornecida pela obra composta nos anos seguintes. Em suma, episódio da juventude, a poesia não exibe a mudança que se observa no romance e no conto, ou mesmo na crônica: documentando um momento de alvoroço da sensibilidade, não evoluiu na mesma direção.

E a razão disso estará porventura no fato de que a poesia talvez constituísse um equívoco, oriundo do fato de Machado estar no início da carreira e sujeito ao clima de época, levando-o a crer que era dotado para a poesia assim como para o teatro. O apelo poético vinha-lhe, por conseqüência, de fora para dentro, graças, quem sabe, à atmosfera em que os nomes de Gonçalves Dias, Castro Alves, Fagundes Varela e outros eram respeitados e comentados. Superadas a comichão e a emulação típicas dos anos juvenis, a poesia fugiu-lhe quase por completo do horizonte. Daí resulta a pouca importância da obra poética no conjunto da sua produção e relativamente a outros poetas do tempo, como Cruz e Sousa, Raimundo Correia, Olavo Bilac, Vicente de Carvalho e outros.

Além disso, a poesia não parecia condizer com a tendência central do seu modo de ser, de resto já manifesta desde os primeiros anos, mas apenas definida após a década de 80. A sua visão da realidade não era poética: nele, o ser que pensa prevalece sobre o ser que sente ou imagina; preferia a metonímia à metáfora, salvo quando esta vinha enformada pela reflexão moral ou filosófica. Machado tinha o domínio da carpintaria poética, conhecia de sobejo as regras clássicas do seu ofício, mas faltava-lhe o arrebatamento da sensibilidade pedido pela estética romântica. De onde os seus versos exprimirem mais um pensamento do que um "sentimento do mundo". A contensão que lhe conhecemos desde as primícias é permanente, dando a impressão de uma poesia demasiado pensada, no sentido de que o pensamento dispensa a emoção, ou está sempre na base do que a sensibilidade alcança apreender como motivo de poesia. As suas idéias, ainda que pudessem afinar-se com sentimentos poéticos, não lhe permitiam o à-vontade que gera a poesia mais autêntica.

Tanto é assim que concebeu o melhor do seu lirismo, ainda hoje digno de leitura, quando se dispôs a afrouxar as talas do pensamento ou da versificação. O poema "A Carolina", um epicédio repassado de sofrimento e recordação, "Versos a Corina", "A Mosca Azul" e outros mais, apesar do forte pendor para o moralismo, deixam fluir um sentimento que se comunica inteiro ao leitor. Nestes momentos, Machado cria poesia capaz de resistir ao tempo, graças à fusão da idéia com o sentimento numa só entidade, realizando o consórcio que identifica o poeta inspirado, acima da média, como se pode ver na composição que dedicou à morte da esposa:

> Querida, ao pé do leito derradeiro
> Em que descansas dessa longa vida,
> Aqui venho e virei, pobre querida,
> Trazer-te o coração do companheiro.
>
> Pulsa-lhe aquele afeto verdadeiro
> Que, a despeito de toda a humana lida,
> Fez a nossa existência apetecida
> E num recanto pôs o mundo inteiro.
>
> Trago-te flores — restos arrancados
> Da terra que nos viu passar unidos
> E ora mortos nos deixa e separados.
>
> Que eu, se tenho nos olhos malferidos
> Pensamentos de vida formulados,
> São pensamentos idos e vividos.

Para lograr o seu intento poético, Machado apurou a linguagem à luz dos princípios clássicos. De onde uma certa tortura do estilo, a eliminação de tudo quanto lhe parecesse excessivo, resultando em versos bem construídos mas não raro faltos de calor. Em suma, versos perfeitos demais na sua forma, como esculturas, a ponto de neutralizar a emoção que estaria subjacente na sensibilidade quando começou o processo de criação. É possível que Machado respondesse com o apuro da forma à tendência romântica para deixar vazar a emoção sem freio, de onde o resultado ser bom ou mau ao sabor do acaso e não do trabalho artesanal aplicado aos versos. Estaria, por esse labor exigente, em busca de estruturas poéticas perfeitas, marmóreas, expressão dum ideal de impassibilidade clássica que o aproximaria da poesia parnasiana. Pode-se até dizer, como sublinha um especialista no assunto, que Machado, "quando publicou na imprensa, em 1878-1880, as poesias que só mais tarde seriam enfeixadas nas *Ocidentais*, já era parnasiano acabado, com sua expressão concisa, riqueza métrica, imagens sóbrias"[4].

Todo esse afã de perfeição formal é tanto mais significativo quanto mais nos lembramos de que *Americanas* é um eco tardio do indianismo de Gonçalves Dias, mas que, de algum modo, haveria de suscitar anos depois a *Morte do Tapir*, de Olavo Bilac. Eco tardio, impregnado do culto ao estilo e à contensão formal, esta, mais do que aquele, desconhecido pelo autor de "I-Juca Pirama".

No mais, a poesia machadiana apresenta as mesmas tendências que lhe marcam a obra e a figura: o ceticismo de raiz, que leva, dependendo do caso, à melancolia ou à ironia sutil, travada pela amargura um tanto literária, a desesperança filha do convívio com filósofos como Schopenhauer e, quem sabe, das adversidades enfrentadas num meio preconceituoso. Eis por que os seus poemas, tanto quanto a sua ficção, parecem reclamar a experiência, que somente os anos trazem, para exibir todo o seu fundo grave e tenso.

4. O teatro segue o mesmo diapasão. Constitui, da mesma forma que a poesia, paixão da mocidade, estimulada pelo favor do público que corria a ver as peças em cartaz. O teatro concedia, em troca, a glória efêmera, imediata, o ruído das opiniões, o alarido nos jornais, o choque das tendências pessoais e das correntes estéticas. E muito mais do que a poesia, cercava os seus cultores de uma aura que nem por ser falsa ou volátil os desanimava. Além disso, a Burguesia, então no vértice da pirâmide social, sustentava o prestígio dos valores românticos e da literatura de costumes apostada no seu enaltecimento. A produção teatral, não podendo fugir às contingências, punha-se a serviço da classe dominante, ainda quando lhe criticasse os modos e os padrões. A ética do dinheiro suscitava uma dramaturgia centrada nos conflitos entre a honra e a riqueza material, nos quais a Burguesia a um só tempo se revia nos seus ideais e encontrava matéria de entretenimento para as horas de ócio. "Assim fora entre 1860 e 1870. Nesse tempo houve realmente uma produção dramática notável pelo número e não raro pela qualidade das obras, e sobretudo pelo valor dos escritores"[5].

Machado, pagando o tributo que se esperava de todo autor teatral, não escapou dessa conjuntura. Todavia, mais do que a poesia, a atividade cênica absorveu-o durante uns poucos anos, enquanto se preparava para encetar a fase madura da sua trajetória: o principal do seu teatro situa-se entre 1860 e 1866 (*Hoje Avental, Amanhã Luva*, 1860; *Desencantos*, 1861; *O Caminho da Porta*, 1863; *O Protocolo*, 1863; *Quase Ministro*, 1864; *Os Deuses de Casaca*,

1866). Depois de um longo intervalo, voltaria a chamar atenção sobre si como autor teatral em 1880, com a comédia *Tu, só Tu, Puro Amor*, e assim mesmo para atender ao convite que lhe fizeram para participar das comemorações do terceiro centenário da morte de Camões, celebradas naquele ano. O seu gosto pelo teatro é claro que não esfriaria nos anos seguintes, mas sobretudo na condição de crítico e de espectador. Ainda escreverá outras duas comédias, *Não Consultes Médico*, estreada em 1896, e *Lição de Botânica*, publicada em 1906.

Daí que o teatro seja a porção menos relevante da obra de Machado de Assis: estava longe de constituir o seu meio ideal de expressão. Um crítico chegou mesmo a dizer, não sem alguma razão, que "o estudo de Machado de Assis como teatrólogo é inglório. Desmonta uma obra sem brilho, muito longe daquelas perfeições que a crítica adjetivou, consagradoramente, como *machadianas*"[6]. A verdade é que Machado, ao mesmo tempo que deixava transparecer uma certa incapacidade para conduzir o jogo dos sentimentos quando se punha a versejar, não alcançava, salvo numa clave baixa, imaginar com senso propriamente teatral o conflito que se desenrolava sobre o tablado. Dir-se-ia que a sua proverbial tendência para a sondagem no interior dos protagonistas lhe impedia a projeção no rumo do "outro", que faz o dramaturgo verdadeiro. O resultado é que o seu teatro padece de uma doença que constitui precisamente a virtude central da sua obra: é um teatro muito pensado, intelectualizado, feito mais para se ler do que para se assistir. Lúcido como sempre, Machado temia exatamente o oposto. Ao escrever, em 1863, para Quintino Bocaiúva, solicitando-lhe "o conselho da [sua] competência", a sua "autoridade literária", para a intenção de publicar as "duas comédias de estréia", indagava: "o que recebeu na cena o batismo do aplauso pode, sem inconveniente, ser trasladado para o papel?" O amigo responde-lhe francamente que aceitava as suas peças "como um ensaio, como uma experiência, e, se podes admitir a frase, como uma ginástica do estilo". Em suma: "As tuas comédias são para serem lidas e não representadas"[7].

Em razão de Machado optar desde o princípio, como vimos, pelo estudo dos caracteres, as suas peças acabaram sendo penetrantes ensaios de análise da alma humana, aos quais faltava, no entanto, a mobilidade própria do teatro. Às personagens custa muito sair de dentro de si para contracenar com as outras, preferem dialogar a agir, não como se estivessem sobre o palco, à frente dos espectadores, mas no interior de um romance ou conto. Sem a autonomia que envolve a personificação em cena, parecem mais a encarnação de idéias do que de seres vivos, à imagem e semelhança de toda a gente. Decorrem mais de uma concepção intelectual ou moral do que da obediência aos preceitos inerentes à linguagem do teatro, cujo alvo é uma verossimilhança tal que resulte num retrato da vida como ela é.

De onde serem frias, não convencerem, ainda quando se tratava de comédia, na qual se espera costumeiramente que as personagens estejam à vontade para motivar o riso, ao mesmo tempo que dão a impressão de se divertir com a história que protagonizam. Cerceadas pela empostação intelectualista que o dramaturgo lhes empresta, semelham ter decorado o papel que representam, como se fosse um teatro dentro do teatro, isto é, em que a vida se ausentou, salvo no fato de serem pessoas vivas que fazem as vezes das personagens fictícias.

Traindo vizinhança maior com a linguagem escrita do que com a falada, a artificiosidade do diálogo é outra conseqüência digna de nota. Diga-se, a bem da verdade, que Machado não se distanciava muito, neste particular, do teatro que então faziam Macedo ou Alencar, com a diferença de que estes, pondo em ação um jogo de cena que reflete a da vida burguesa da época, criavam verdadeiras peças de teatro. E tanto como eles, escolheu o amor como centro da intriga, o amor burguês, que culmina via de regra com o casamento, levando ao mesmo sentimento de falsidade que o romance romântico usualmente deixa no leitor, sentimento esse que Machado, como se sabe, procurou evitar nos seus romances, inclusive os da primeira fase.

A par desse teatro de atualidade, os chamados "dramas de casaca", Machado cultivou o teatro histórico, com *Os Deuses de Casaca* e a peça comemorativa do centenário de Camões. Comédias num caso e noutro, para atender aos reclamos sociais do tempo, constituíam um nítido constrangimento do modo de ser machadiano, mais propenso ao fino humor à inglesa do que ao cômico burlesco praticado por alguns dos seus contemporâneos. Machado deriva para a ironia, o engano, a confusão, os equívocos, em que o subentendido se revela somente ao espectador atento à percepção dos implícitos no diálogo. Um humor menos sutil que nos romances e contos, mas muito refinado para se tornar facilmente acessível.

Enfim, as peças machadianas pedem que sejam entendidas no contexto de época, como documento e testemunho dum estilo de vida superado, que conheceu dias de grandeza antes de ceder a outros valores sociais. Tendo em vista essa circunstância e o fato de espelharem as diretrizes classicamente áticas do autor, "em sua luta pela expressão"[8], já será mais fácil acolher tais limitações e usufruir certo prazer com a leitura delas: no teatro, Machado é ainda um moralizante que procura, à maneira dos gregos, divertir e purgar as paixões do espectador com a exibição do drama alheio.

Notas

1. Machado de Assis, *Crônicas — Crítica — Poesia — Teatro*, S. Paulo, Cultrix, 1961, p. 87. As demais referências vão apontadas no texto.
2. *Idem, ibidem*, p. 109. As demais referências vão apontadas no texto.
3. *Idem, ibidem*, p. 124.
4. Péricles Eugênio da Silva Ramos, *Poesia Parnasiana. Antologia*, S. Paulo, Melhoramentos, 1967, p. 37.
5. Mário de Alencar, "Advertência", in Machado de Assis, *Teatro*, Rio de Janeiro/S. Paulo/Porto Alegre, Jackson, 1946, p. 9.
6. Joel Pontes, *Machado de Assis e o Teatro*, Rio de Janeiro, SNT/MEC, 1960, p. 11.
7. As cartas de Machado de Assis e Quintino Bocaiúva foram publicadas por Mário de Alencar na primeira edição do volume *Teatro* (1910) e reproduzidas nas edições subseqüentes. V. nota 5.
8. *Idem, ibidem*, p. 13.

Nota Bibliográfica*

1. Machado de Assis Hoje
Publicado no "Caderno de Sábado" do *Jornal da Tarde*, S. Paulo, 26 de setembro de 1998.

2. Machado de Assis e a Estética Realista
Publicado, em primeira versão, na revista *Anhembi*, S. Paulo, ano IX, nº 105, vol. XXXV, agosto de 1959, pp. 469-479. Republicado em *Temas Brasileiros*, S. Paulo, Conselho Estadual de Cultura, 1964.

3. A Ficção Machadiana: Ressurreição e Permanência
Publicado, em primeira versão, no "Suplemento Literário" de *O Estado de S. Paulo*, 16 de maio de 1959. Republicado em *Temas Brasileiros*.

4. O Romance na Visão de Machado de Assis
Publicado, em primeira versão, na *Revista Brasiliense*, S. Paulo, nº 26, novembro-dezembro de 1959, pp. 94-106. Republicado em *Temas Brasileiros*.

5. Machado de Assis: Ficção e Utopia
Publicado no "Suplemento Cultura" de *O Estado de S. Paulo*, 17 de junho de 1989.

6. As Coincidências Significativas na Ficção de Machado de Assis
Publicado no "Suplemento Cultura" de *O Estado de S. Paulo*, 3 de fevereiro de 1990.

7. Capitu: Esfinge e Narciso
Publicado na revista *Colóquio/Letras*, Lisboa, nº 102, março-abril de 1988, pp. 45-52.

8. Em Busca dos Olhos Gêmeos de Capitu
Publicado no "Caderno de Sábado" do *Jornal da Tarde*, 19 de julho de 1997.

9. Capitu e Quina: a Esfinge e a Sibila
Publicado no "Caderno de Sábado" do *Jornal da Tarde*, 9 de maio de 1998. Republicado em *Agustina (1948-1988): Bodas Escritas a Oiro*, Porto, Universidade Fernando Pessoa, 1999, pp. 289-304.

10. Machado de Assis Cronista
Publicado no "Caderno de Sábado" do *Jornal da Tarde*, 17 de agosto de 1996.

11. A Ironia e a Sutileza Machadianas no Conto
Publicado no "Caderno de Sábado" do *Jornal da Tarde*, 16 de janeiro de 1998.

12. Machado de Assis: Um Modo de Ser e de Ver
Publicado no "Caderno de Sábado" do *Jornal da Tarde*, 1º de maio de 1999.

13. "O Alienista", Paródia do *Dom Quixote*?
Publicado no "Caderno de Sábado" do *Jornal da Tarde*, 8 de janeiro de 2000.

14. Outras Facetas da Obra Machadiana
Retomam-se os prefácios de Machado de Assis, *Crônicas — Crítica — Poesia — Teatro*, S. Paulo, Cultrix, 1961.

---

* Alguns dos ensaios retomaram os prefácios das *Obras Escolhidas* de Machado de Assis, 9 vols., S. Paulo, Cultrix, 1960-1961.